ENGLAND
London
Dover
Dunkirk
Calais
FRANCE
CLINICAL
PSYCHOLOGY
JN252290

北村薫と有栖川有栖の
名作ミステリー
きっかけ大図鑑

ヒーロー＆
ヒロインと
謎を追う！

第3巻 みごとに解決！ 謎と推理

日本図書センター

この本の見かた

海外と日本の名作ミステリーの中から選んだヒーロー、ヒロインと、その物語を、見開き２ページで紹介していきます。

マーク
ヒーローは、窓辺に立つ男性の影が、ヒロインは、女性の影が描かれています。

タイトル
物語の作品名と取り上げたヒーロー、ヒロイン名がわかります。

ヒーロー、ヒロイン
物語の登場人物のひとりをヒーロー、ヒロインとして選び、作品世界へとナビゲートします。

人物紹介
ヒーロー、ヒロインの境遇や性格の特長などがわかります。

プロフィール
物語から読みとれるヒーロー、ヒロインの暮らしぶりや性格、物語の舞台などの情報を伝えます。

あらすじ
作品のあらすじを簡潔に紹介します。※「ネタばれ」はありません。

作品
作品名、作家名、初出、出典の情報です。

『名探偵カッレくん』
カッレ・ブルムクヴィスト

エイナルおじさん
カッレくん

主な登場人物
ヒーロー、ヒロインと関わり、物語を彩る主な登場人物です。

コラム
作者の生涯や、その作品世界を紹介します。

注
むずかしいことばの説明や、内容の補足をします。

名場面
作品の中の出来事の１シーンを、状況の説明とイラストで紹介します。

引用
名場面に関わる一文を出典作品より引用して紹介します。

本書について

＊本書に掲載するイラストは、原作を参考にして、イラストレーターがそれぞれイメージし、新たに描いたものです。
＊作品のタイトルや登場人物の名前、引用文は、巻末に掲載の典拠資料を参考にしています。
＊原則として本文は、すべての漢字に読みがなを付け、現代かなづかい、現代送りがなを使用しています。
＊書名・作品名は『　』、新聞・雑誌名・映像作品名・シリーズ名は「　」を用いてあらわしました。また、書名・作品名にはできるだけ初出年を記しました。
＊本書は、一部に今のわたしたちが使うべきではない差別的な語句や表現がありますが、作者の生きた時代や作品の芸術的価値を考えて、原文のままとしています。

もくじ

〈名作ミステリーへの招待状 3〉

名作ミステリーへの
招待状
3

はじめに ── 謎への挑戦、してみよう！

北村 薫（作家）

『少年たんてい
ブラウン』

『そして誰もいなくなった』

『人形はなぜ殺される』

◆児童文学と謎解きミステリー

第３巻でも、さまざまな色合いのミステリーの花をご紹介いたします。

A・リンドグレーンは児童文学の世界では広く知られた人です。カッレくん以外の主人公が登場する作品を、すでに読んだ人も多いかと思います。では、D・ソボルの『少年たんていブラウン』はどうでしょうか。話の途中で読み手に、質問が投げかけられます。この、「材料はすべて与えました。考えてみてください」という形式は「読者への挑戦」といわれ、謎解きミステリーの純粋な形のひとつとなっています。

◆世界と日本の超メジャー級人気作品

さて、『そして誰もいなくなった』は、世界ミステリーの人気投票をすると、必ずといっていいほど上位にあがってくる作品です。作者はA・クリスティ。しかし、彼女の生み出した有名な探偵役、ポワロやミス・マープルなどが登場しないのです。

同じことがF・W・クロフツの『樽』にもいえます。これは、アリバイ崩しものの長編として有名なものですが、クロフツがほとんどの作品で活躍させたフレンチ警部が出てきません。

そこでこの有名な２作を、第１巻ではなくこちらの第３巻におさめることになりました。

一方、当然、「名探偵」の巻に入っておかしくない『人形はなぜ殺される』の神津恭介には定員の関係で、こちらに移ってもらいました。高木彬光の創造した、戦後日本を代表する天才型探偵のひとりです。

◆ミステリー好きを沸かせた『幻の女』と『星を継ぐもの』

戦後 ── というなら、第２次世界大戦中は海外ミステリーの情報を得ることができなかったため、平和になると同時にミステリー好きたちは、新しい傑作を求めました。そこで話題になったのがW・アイリッシュの『幻の女』です。原書がなかなか手に入らなかったため、取り合いになるほどの評判作でした。

『幻の女』

以来、さまざまな作品が生まれましたが、J・P・ホーガンの『星を継ぐもの』が提出した謎は、実にスケールの大きなものでした。月面で、5万年以上前に死んだ人間の遺体が発見されたというのです。そんなころに、人間が月に行けるはずがない。いったい、なにがあったのか。この作品は、翻訳された当時、SFでもあり同時にすぐれたミステリーでもあると大評判になりました。もちろん、今も多くの人に読まれています。

◆江戸を舞台にした２大シリーズ

ほかの作品も、それぞれ独自の色や香りの魅力を見せる花ばかりです。

なかで、日本の謎解きものの特別な形に「捕物帳」があります。おもに江戸時代（ときに、明治の場合もあります）を舞台とする作品です。岡本綺堂の「半七捕物帳」シリーズが、その草分けであり代表作といわれます。ミステリーとしてのおもしろさに加えて、当時の社会の様子を味わうことができます。ここでは、その綺堂の『お文の魂』と、また別の方向からこの形式にいどんだ都筑道夫の「なめくじ長屋」シリーズから『天狗起し』を紹介しています。

別の方向というわけは、不可解なことがあっても、たとえば狐のしわざだといわれれば納得してしまう江戸の人びとに対し、近代的な合理性を身につけた探偵役を配置すれば、理想的な謎と解明の物語がつくれる —— というわけです。

◆時代をこえるすぐれたミステリーの力

そして、星新一の『おーい でてこーい』もぜひ、ご紹介したい作品です。わたしは中学生のとき、星新一の第一短編集『人造美人』を買いました。この作品を読んだときの衝撃を鮮やかに覚えています。さらにおどろくのは、この『おーい でてこーい』が50年以上たった今も、まさに現在読むべきものとしてわれわれに訴えかけてくる —— ということなのです。

この『きっかけ大図鑑』シリーズは、古典を紹介する —— というのが原則です。古典は古びることはない。それは正しい。しかし、特別にお願いして、最後に宮部みゆきの『サボテンの花』を入れさせてもらいました。このすぐれた「花」が、古典と現代ミステリーをつないでくれると信じます。

『星を継ぐもの』

『お文の魂』

『おーい でてこーい』

『名探偵カッレくん』

カッレ・ブルムクヴィスト

ぼくは、カッレ・ブルムクヴィストです。
食料雑貨店を営むお父さんは商売の見習いをやれと言いますが、とんでもない。そんなことをしたら、ロンドンやシカゴの殺人鬼や盗賊を喜ばせるだけ。やつらに好き勝手をさせないためにも名探偵の中で、いちばん偉い探偵になろうと思っています。

プロフィール

- **年齢**：13歳。
- **愛用品**：虫眼鏡、パイプ、手帳。
- **日課**：イチゴ畑に水をまき、町をパトロールすること。
- **遊びのグループ**：アンデス率いる白バラ軍に所属。シックステン率いる赤バラ軍とはライバルの関係。
- **お父さんの店**：ヴィクトル・ブルムクヴィスト食料雑貨店。
- **好きな子**：エーヴァ・ロッタ。家を持つお金ができたら、すぐにお嫁さんにしようと思っている。
- **くせ**：自分が探偵になったつもりで、妄想すること。
- **推理のスタイル**：とにかくよく観察し、気になったことを手帳に書きとめる。

あらすじ　「本格的な不審人物」を発見？

スウェーデンの静かな田舎町で、未来の名探偵を夢見るカッレくん。遊び仲間のアンデス、ロッタといつも３人一緒に町へ出かけ、通行人にイタズラをしかけたりして、夏休みを楽しく過ごしていました。そこへ見知らぬ男がやって来て、なぜか親しげに、ロッタに話しかけます。赤ん坊のころに会ったきりの、ロッタのお母さんのいとこ、エイナルおじさんでした。なんだかいけすかないそのおじさんはロッタの家にしばらく滞在することになったのですが、どうやらひまをもて余しているようで、昔の城跡に行こうと３人組を誘います。出かけてみると、おどろいたことにエイナルおじさんは市長さんしか持っていないはずの城の地下室の合鍵を持っていました。城跡に行ったあとも、カッレくんに新聞を買いに行かせたり、懐中電灯を買ったり……。おじさんのあやしい行動を見ていて、カッレくんの探偵魂に火がつきます。

夏休み中のカッレくんは、ロッタたちとサーカス団を結成して公演したり、敵対するグループと対決したりと大忙しのなか、エイナルおじさんの悪事の証拠をつかもうと行動を開始します。

アンデス
カッレくんの親友。いつも一緒に遊んでいる。腕っぷしは強くないが、リスのようにすばしっこい。

エーヴァ・ロッタ
カッレくんの隣に住む、男の子に負けないくらい強くて勇敢なおてんば娘。建設用の足場をスルスルのぼるぐらい身が軽い。

ふたりの男
黒い車に乗ってやって来たあやしいふたりの男。エイナルおじさんを探している。

エイナルおじさん
ロッタの親戚。右頬に小さな傷があり、不審な行動をとることがある。

作品名：『名探偵カッレくん』　作者：アストリッド・リンドグレーン　初出：ストックホルムで1946年に発表　【本作の出典】『名探偵カッレくん』（尾崎義訳、岩波少年文庫、1957年）

探偵は危険をおかさねばならない。それがいやなら、探偵という職業を思いあきらめ、ホット・ドッグ売りかなんかになればいいのだ。

エイナルおじさん
カッレくん

カッレくんは、ロッタの家の２階に寝起きしているエイナルおじさんが、真夜中に非常ばしごで部屋を抜け出そうとしているのを目撃します。おじさんが「本格的な不審人物」だと確信したカッレくんは、とにかく指紋を採取しようと決意します。そして、絶好の機会がやって来ました。おじさんが睡眠薬を飲んで寝るというのです。夜中の２時、カッレくんはおじさんの部屋に忍びこみます。いざ非常ばしごに足をかけたとき、カッレくんのからだはふるえました。部屋に入ってみると、おじさんはぐっすり寝ていて、幸運にも右手がベッドの端からぶらさがっていました。いよいよ指紋採取。ドン、ドン、ドン……カッレくんの心臓が高鳴ります。

作者のアストリッド・リンドグレーンについて

スウェーデンの女性児童文学作家。1907 年、スウェーデンのスモーランド地方ヴィンメルビューに生まれる。４人兄弟の２番目で、実家はこの田園地帯で小さな農場を営み、幼いころから豊かな自然にかこまれて育った。

小学校教師や事務員をしながら執筆活動を始め、1944 年に『ブリット・マリはただいま幸せ』で出版社の小説コンテストに入選しデビュー。1945 年、『長くつ下のピッピ』が子どもたちの人気を得て、一躍有名になった。『やかまし村のこどもたち』のシリーズ（1947〜52年）や『山賊のむすめローニャ』（1981年）など、多くの作品を残した。1958 年に国際アンデルセン賞を受賞。2002 年に 94 歳で死去。

A・リンドグレーン

『少年たんていブラウン』※1
ロイ・ブラウン

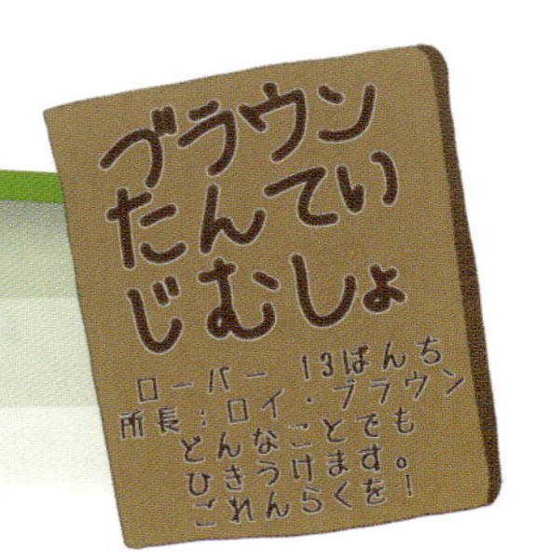

ブラウン
たんてい
じむしょ
ローバー 13ばんち
所長：ロイ・ブラウン
どんなことでも
ひきうけます。
これんらくを！

ぼくは、ロイ・ブラウン。
好きなことは、本を読むこと。読んだことはすべて頭の中に入っているので、みんなから「百科事典」と呼ばれています。町で起こった事件の謎を解き、警察署長であるお父さんを助けています。

プロフィール

- **年齢**：10歳。
- **居住地**：アメリカ合衆国フロリダ州アイダビル。自宅兼探偵事務所は、ローヴァーアベニュー 13 番地。
- **家族**：父親はアイダビル警察の署長、母親はもと国語教師。ひとりっ子。
- **気をつけていること**：生意気だと思われ、嫌われるのが心配なので、質問されてもすぐには答えないようにしている。
- **推理のスタイル**：犯行現場の状況や証言などから矛盾を突き、犯人を特定する糸口を見つける。
- **解決した主な事件**：「おたずねもの強盗」「テントどろぼう」などの事件。

あらすじ　犯人はどこに証拠をかくしたのか？

アイダビルの町で暮らすロイ・ブラウンは、ある日、洋服屋で起こった強盗事件について警察署長である父親から相談されます。その謎をみごとに解いたロイは、母親から「探偵の素質がある」と言われ、「ブラウン探偵事務所」を開きます。そして、相棒兼用心棒として、町に引っ越してきた喧嘩の強いサリーを仲間に入れます。

ある日ふたりは、探偵の仕事でたまったお金を銀行に預けに行きます。そのとき、強盗が銀行の入り口から飛び出してくるのを目撃します。その男は、路上にいた目の見えない男トムともみ合ったあとに逃げ出しますが、すぐに警察に捕まってしまいます。しかし、その男が手に持っていた紙袋に入っていたのは、ピストルや奪ったはずのお金ではなく、ひと切れのパンだけでした。強盗の顔を見た者はおらず、強盗をした証拠もないため、ブラウン署長はとても困っていました。しかし、夕食の間、事件のいきさつを聞いていたロイは、なにかひらめいたようです。夕食をすませると、サリーと一緒にトムに話を聞きに向かいます。

サリー・キンボール
アイダビルの町に引っ越してきたかわいい少女。スポーツはなんでも得意で、喧嘩も強く、弱い者いじめをする少年をこらしめたことがある。

ブラウン署長
ロイ・ブラウンの父親。いつも夕食を食べながら、ロイにその日起きたむずかしい事件について相談し、ロイの意見を事件解決の参考にしている。

おかあさん
ロイのお母さん。息子は将来シャーロック・ホームズのような名探偵になれると期待している。

作品名：『少年たんていブラウン』　作者：ドナルド・ソボル　初出：アメリカで 1963 年に発表　【本作の出典】『少年たんていブラウン 1　おたずねもの強盗事件』（花輪莞爾訳、偕成社、1973 年）

強盗と男の人は、だきあうようにしてたおれました。そして、ほんの二、三秒間、もみあっていましたが、強盗はその人をふりきって、またにげはじめました。

サリー

ロイ

トム
自分のことを「目の見えないトム」と呼ぶ気のいい老人。アイダビルで物ごいをしているが、強盗事件の翌日、町を出ていくことをブラウン署長と約束した。

強盗
海岸通りの銀行からお金を奪って逃げていった。茶色い上着を着ており、顔はハンカチと帽子でかくしていた。

ロイとサリーが銀行の近くでバスをおりたとたん、銃声が響きました。その直後、銀行から、帽子を深くかぶり、ハンカチで顔をかくした男が飛び出してくるのが見えました。その男は、黄色い紙袋をかかえ、ピストルを振りまわしています。そして、うしろを振り返りながら走り出しました。「強盗だ！」と誰かが叫びます。

そのとき、反対側から黄色い紙袋を持った目の見えない男、トムが歩いてきていました。あわてていた強盗は、前をよく見ずに走っていたので、トムに勢いよくぶつかります。トムの杖やメガネが歩道に散らばり、ふたりは一緒に倒れました。しかし強盗はすぐに立ち上がり、走り去ってしまいました。

作者のドナルド・ソボルについて

アメリカの児童文学・推理作家。1924 年、ニューヨークで生まれる。第２次世界大戦中は、陸軍工兵隊に所属。除隊後、オベリン大学に入学し、卒業後は「ニューヨーク・サン」紙で下働きから始め、新聞記者となる。百貨店のバイヤーを経てフロリダ州に移り、作家生活に入った。1959 年、『2 分間ミステリ』という推理クイズ集を発表。1963 年に『少年たんていブラウン』を書き始めた。このシリーズは 30 年以上続き、世界中の少年少女に愛されるソボルの代表作となった。1976 年には本作で MWA[※2] エドガー特別賞を受賞した。

ドナルド・ソボル

2012 年に老衰で亡くなるまでに執筆した作品は 60 本以上におよぶ。その多くが子ども向けだが、ノンフィクションの作品も執筆している。

※１　原題を直訳すると『百科事典ブラウン』となる。
※２　MWA はアメリカ探偵作家クラブの略称。

『黄金虫』

ウィリアム・ルグラン

わたしは、ウィリアム・ルグラン。
サリヴァン島※1に小さな家を建てて住んでいます。なにかに熱中すると、異常なほど入れこんでしまうところがあります。ある日、非常に珍しい甲虫を見つけたことから、宝探しにのめりこみます。

プロフィール

- **出身**：昔、フランスからアメリカにやって来た新教徒の子孫。ルイジアナ州ニューオリンズに住んでいた。
- **居住地**：アメリカのサウスカロライナ州チャールストンの近くにあるサリヴァン島。いい香りがする低木ギンバイカの林のいちばん奥。
- **性格**：おもしろくて尊敬できる人柄。教養があり、並はずれて頭がよいが、なにかに熱中しているかと思うと、急に落ちこむこともある。
- **趣味**：狩猟と釣り。貝殻を収集したり、昆虫を探すために、海岸やギンバイカの林を散歩すること。

あらすじ 宝探しのきっかけは黄金虫

ずいぶん前の話ですが、「わたし」はウィリアム・ルグランという男と親しくしていました。10月のある日、「わたし」は彼をたずねました。彼は新種と思われる珍しい甲虫を捕まえたと興奮していました。そのとき、甲虫は手もとになく、紙きれに絵を描いて見せてくれました。それを見た「わたし」は「まるで人間の頭蓋骨のようだ」と感想を言いますが、それから彼はなにかを考え始めたようでした。

1カ月後、ルグランの従者ジュピターが彼からの手紙を「わたし」に持ってきますが、そこには「今夜、会いたい。一大事件だ」と書かれていました。心配になって彼の家へ行くと、彼は「わたし」が来るのを待ちに待っていた様子で、「あの虫が、黄金のあるところに導いてくれるんだ」と言い、宝探しの相談相手として力を貸してほしいと頼んできました。「わたし」は、ルグランの言うことを信じてはいませんでしたが、とにかくジュピターと3人で宝探しに出かけました。ルグランは、ジュピターにあれこれと指示をして、結局、宝を探しあてることに成功しました。なぜ宝を発見することができたのか、知りたくてうずうずしていると、ルグランは詳しく説明を始めました。

わたし
ルグランの親友。サリヴァン島からは15キロメートルほど離れたチャールストンの家に住んでいる。

ウルフ
ルグランの愛犬。ニューファウンドランド種の大きい犬。

ジュピター
年寄りの黒人。奴隷の身分から解放されてからも、ルグランに仕えたいと、ルグラン家から離れようとしない。

作品名：『黄金虫』 作者：エドガー・アラン・ポー 初出：アメリカの雑誌「フィラデルフィア・ダラー・ニューズペーパー」1843年6月 【本作の出典】『暗号と名探偵』（赤木かん子編、金原瑞人訳、ポプラ社、2001年）

ひもにぶら下がって、われわれの立っている台地をかすかに照らしている夕日を浴びて輝くところは、まばゆい黄金の玉のようだ。黄金虫はどの枝にもふれないでおりてきた。

ジュピター
わたし
ルグラン

「わたし」たちは2時間歩きつづけ、太陽が沈みかけるころに山の頂上に出ました。台地は一面イバラでおおわれていましたが、大鎌で切り払いながら進み、1本のユリノキの前にたどり着きました。ルグランがジュピターを木にのぼらせると、7本目の枝の先に、なんと頭蓋骨が打ちつけられていました。ルグランはそれを聞くと、ジュピターに頭蓋骨の左目の穴からひもをつけた黄金虫をつりさげるよう指示します。黄金虫が地面におりてくると、ルグランはその場所に太い釘を打ちこみました。その目印から巻尺で距離をはかり、さらにその地点を中心に円を描きました。そして「大急ぎでここを掘り起こしてくれ」と言いました。

「暗号小説」について

＊第2巻6〜7ページも参照。

ポーの『黄金虫』（邦題の読みは「こがねむし」とも）は、暗号を題材としたはじめての「暗号小説」といわれている。また同様の解読法を用いた暗号小説として、コナン・ドイルの『踊る人形の謎』（1903年）も有名である。

日本では、江戸川乱歩がこれらの作品の影響を受け、暗号をモチーフとした『二銭銅貨』（1923年）でデビューした。乱歩は外国の推理小説を多く読み、トリックや暗号などを整理分類している。論文「暗号記法の分類」では暗号を「割符法・表形法・寓意法・置換法・代用法・媒介法」の6種に大別し、『大金塊』（1939〜40年）や『怪奇四十面相』（1952年）といった作品の中で、それらを組み合わせた複雑な暗号を登場させている。

53‡‡†305))6*;4826)4‡.)4‡);806*;48†8
¶60))85;;]8*;:‡*8†83(88)5*†;46(;88*96
?;8)‡(;485);5*†2:*‡(;4956*2(5*4)8
¶8*;4069285);)6†8)4‡‡;1(‡9;48081;8:8‡
1;48†85;4)485†528806*81(‡9;48;(88;4
(‡?34;48)4‡;161;:188;‡?;

『黄金虫』の暗号文

※1　アメリカ合衆国サウスカロライナ州に属する実在の島。作者のポーは18歳のころ陸軍に入隊し、1827年から1年ほど、この島に駐屯していたことがある。

『樽』

バーンリー

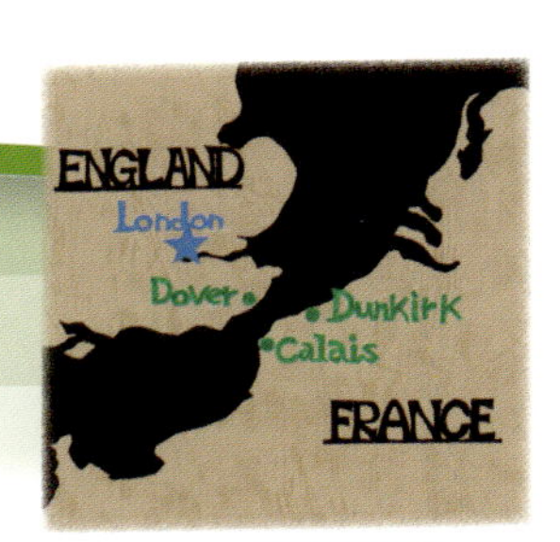
ENGLAND
London
Dover
Dunkirk
Calais
FRANCE

わたしは、バーンリー。
スコットランドヤード（ロンドン警視庁）の敏腕警部です。万事に徹底を期することが身上で、小さな証拠もけっして見逃しません。

プロフィール

- **現在**：スコットランドヤード警部。
- **性格**：穏やかな人柄で物事を深く考え抜く。
- **推理のスタイル**：きめ細かい捜査で物証を積み重ね犯人にせまる。
- **解決した事件**：4年前にイギリスとフランスにまたがって起きた、マルセル殺害事件ほか。

あらすじ

樽につめられていたものは……

ロンドンの港で商船から積み荷がおろされている最中のことでした。偶然、彫像在中と記された積み荷の樽が破損してしまい、中から金貨と人の手が見つかります。海運会社はすぐスコットランドヤードに連絡しましたが、バーンリー警部が港に到着したころにはフェリクスという人物に持ち去られたあとでした。ただちに捜査を始めたバーンリーは運よくフェリクスを見つけ出しますが、なんと樽はフェリクスの家から盗み出されていました。現場を検証したバーンリーの推理が的中し、ようやく樽は見つかりますが、中には金貨と、彫像ではなく女性の死体が入っていました。バーンリーは捜査のため、樽が発送されたフランスのパリへと渡ります。やがて女性は、フェリクスの友人である実業家ラウール・ボワラックの妻、アネットと確認されました。しかし、樽の送り主はわかりません。さらに捜査を進めていくと、樽を使った巧妙なトリックと、フェリクスによく似た男の影が浮かんできます。そしてついに、フェリクスの家から、犯罪のトリックに使われたと思われる決定的な証拠が見つかります。しかし、フェリクスは無実を主張し続け、真の事件解決は、私立探偵ラ・トゥーシュの手にゆだねられます。

ポール・テブネ
デュピエール商会社長。事件に使われた樽はこの会社が所有している。

ルファルジュ
パリ警視庁の刑事。バーンリーとは、以前、マルセル殺害事件でも共同捜査をした。

アルフォンス・ル・ゴーティエ
フランスのワイン商。フェリクスの友人で、彼に富くじの購入をもちかけた。

ジョルジュ・ラ・トゥーシュ
ロンドンでナンバー1の腕利き私立探偵。フェリクスの弁護士から依頼を受け、彼の無実の証拠を探す。

ラウール・ボワラック
アヴロット製作所社長。フェリクスの友人で、アネットの夫。

アネット・ボワラック
ラウールの妻。事件の被害者。

作品名：『樽』　作者：フリーマン・ウィルス・クロフツ　初出：1920年にイギリスで出版　【本作の出典】『樽』（霜島義明訳、創元推理文庫、2013年）

誰もが立ちすくんで、床の上の動かない人の姿を見つめていた。

バーンリー
総監
スコットランドヤードの警視総監。バーンリーの上司。
ケルヴィン
スコットランドヤードの巡査部長。
レオン・フェリクス
画家。フランス人。7年間パリで絵の勉強をしたあと、ロンドンへと移り住んだ。

ようやく樽を発見したバーンリーは、フェリクスの立ち会いのもとで樽を開けます。頑丈な樽なので、大工を呼んで鏡板※1をはずしました。板は普通のワイン樽の2倍以上ものあつさがあり、樽の中には縁までおがくずがつまっていました。バーンリーがおがくずを慎重にかき出すと、中から金貨が1枚、また1枚と出てきました。そして次には、紙に包まれた物体が現れました。バーンリーとケルヴィンがその包みを樽から持ち上げて、床に横たえました。それは女の死体でした。頭から肩にかけて包装紙でおおわれており、細い指の手が包装紙の間からはみ出して、上をさした形で硬直していました。フェリクスの目に恐怖の色が浮かびました。

作者のフリーマン・ウィルス・クロフツについて

1879年、アイルランドのダブリンに陸軍医の息子として生まれる。1896年、鉄道会社の見習い技師となる。40歳のときに大病を患い、長期療養中の退屈しのぎとして小説を執筆。文芸エージェントに送ったところ出版が決まり、1920年、デビュー作となる『樽』が発表された。鉄道会社での勤務を続けながら執筆活動を行うが、1929年より専業作家となり、イギリスにおけるミステリー小説の黄金時代を支えるひとりとなった。

1925年、『フレンチ警部最大の事件』を発表。この作品で登場するジョゼフ・フレンチ警部が人気となり、以後『フレンチ警部とチェインの謎』(1926年)、『クロイドン発12時30分』(1934年)などのシリーズ作品を発表した。中短編の作品も数多く手がけている。1957年に死去。

F・W・クロフツ

※1　樽やタンクなどの円筒状の容器の側面の板。丸く平板なものが多いが、半円状、楕円状などに湾曲しているものもある。

『毒入りチョコレート事件』

ロジャー・シェリンガム

わたしは、ロジャー・シェリンガム。
小説家で、自分が創設した「犯罪研究会」の会長もしています。昔の小説に出てくるような尊大で人をいらだたせる探偵にはなるまいと決めていますが、おしゃべりなので、そもそも謎めいた存在にはなれそうにありません。

プロフィール

- **出身**：1891年、ロンドン近郊で生まれた。父は開業医。
- **経歴**：パブリックスクールを経て1910年、オックスフォード大学マートン・カレッジ入学。1914年から第1次世界大戦に従軍し、2度負傷した。
- **住まい**：アルバニー・ホテル。
- **職業**：小説家。ふと思いたって書いた長編小説が英・米でベストセラーになり、人気作家に。
- **好きなもの**：犯罪学。なによりもうまいビール。
- **特技**：ゴルフ。
- **解決した主な事件**：「レイトン・コートの謎」「ウィッチフォード毒殺事件」「第二の銃声」などの事件。

あらすじ　6人の探偵がたどり着く結論は？

ロジャー・シェリンガムが創設した「犯罪研究会」へ、スコットランド・ヤード（ロンドン警視庁）から、ある難事件がもちこまれました。その事件とは、実業家のベンディックス氏が、知り合いのユーステス卿のもとに送られてきたチョコレートを譲ってもらい、自宅で妻と分け合って食べたところ、そのチョコレートには毒がしこまれており、妻は死亡、ベンディックス氏も重体におちいったというものです。この事件のむずかしいところは、チョコレートはそもそもユーステス卿に送られたものであり、ベンディックス氏はそれを譲ってもらったにすぎないという点でした。

この不可解な殺人事件の謎解きに、「犯罪研究会」のメンバーがいどむことになります。「犯罪研究会」の会員は、あらゆる分野の科学や犯罪心理学、さらに調査の面にも強い関心をもち、なにより推理能力にすぐれていなければなりません。入会審査には全会一致の賛成が必要で、現在のところそのテストに合格できたのはロジャーも含めて6人だけ。その6人がそれぞれに調査し、明晰な頭脳を駆使して推論を重ねた結果を、一晩にひとりずつ披露していきます。さて、会員たちはどんな推理を示してくれるのでしょうか。

ユーステス・ペンファーザー卿
毒入りチョコレートの受取人の男爵。赤ら顔でがっしりした体格。大酒飲みで女ぐせが悪いと、評判はあまりよくない。

ベンディックス夫人
グレアムの妻。もとはリバプールの船主の娘。チョコレートを食べて死亡した。

グレアム・ベンディックス
28歳の実業家。父の財産を継いで事業を始めた。毒入りチョコレートを食べたが命をとりとめる。

作品名：『毒入りチョコレート事件』　作者：アントニイ・バークリー　初出：イギリスで1929年に発表　【本作の出典】『毒入りチョコレート事件』（高橋泰邦訳、創元推理文庫、1971年）

「それでは、全員賛成ですね？」ロジャーは、新しい玩具をもらった子供のように、嬉しそうに見回していった。「みんな、喜んでやってみる気なんですね？」

アリシア・ダマーズ
「犯罪研究会」会員、小説家。美しい容姿と文才をかね備えている。

モレスビー警部
スコットランド・ヤード（ロンドン警視庁）の首席警部。ロジャー・シェリンガムの協力者。

シェリンガム

チャールズ・ワイルドマン卿
「犯罪研究会」会員、有名な刑事弁護士。事実を冷静に分析する。

モートン・ハロゲイト・ブラッドレー
「犯罪研究会」会員、推理小説作家。学識はあるが人気はあまりない。

フィールダー・フレミング
「犯罪研究会」会員で、著名な劇作家。一見穏やかそうだが、推理を語るときにだんだん芝居がかってくる。

アンブローズ・チタウィック[※1]
「犯罪研究会」会員。ほかの会員とは異なり、無名の一般市民。入会を許可されたことにまわりも本人もおどろいた。

ベンディックス夫人毒殺事件の捜査は手がかりがないまま打ち切りとなり、迷宮入り寸前になっていました。ロジャーは、警察がお手上げのこの事件を、「犯罪研究会」が演習として取り上げて推理することを提案します。警察当局はしぶしぶながらもこれを許可し、会員たちは改めてモレスビー警部から事件のあらましと警察の捜査結果を聞くことになりました。そして「一週間の調査期間を設けて、それぞれ独自に情報を集める」「各自の推理を一晩にひとりずつ、順番に発表する」ことを取り決めます。発表の順番はクジで決めることになりました。

作者のアントニイ・バークリーについて

1893年、イギリスに医者の息子として生まれる。オックスフォード大学卒業後、第1次世界大戦に従軍。退役後はユーモア雑誌として有名な「パンチ」などに寄稿を続け、1925年に『レイトン・コートの謎』を発表。この作品が評判となり、探偵小説を中心に執筆するようになる。これまでの探偵小説の論法を批評的に描き、推理小説というジャンルの新しい可能性を追求する小説を目指した。フランシス・アイルズというペンネームで書いた『殺意』（1931年）もその試みのひとつで、犯罪心理小説という新境地を開いた。英国推理作家協会（CWA）の前身、ディテクション・クラブを創設した。

アントニイ・バークリー

しかし作家としての活動期間は短く、1940年以降は書評活動に専念した。1971年に死去。

※1　アンブローズ・チタウィックは、本作では無名の一般市民として登場しているが、同じバークリーの『ピカデリーの殺人』（1929年）、『試行錯誤』（1937年）では犯罪研究家として描かれ、探偵として登場している。

『そして誰もいなくなった』

ロレンス・ウォーグレイヴ

わたしは、ロレンス・ウォーグレイヴ。元判事です。知り合いから手紙が届き、兵隊島※1へ行くことになりました。島には、同じように招かれてやって来た、たがいに面識のない男女が集まっていましたが、奇妙なことに招待主の姿はありませんでした……。

プロフィール

- **職業**：元判事。
- **外見の特徴**：カエル顔、カメのような首、猫背、射抜くように鋭くて色のうすい小さな目。入れ歯をはずすとくちびるがすぼみ、獲物をねらうような冷酷な口もとになる。
- **物語の舞台**：南デヴォンの海岸から船で渡ったところにある孤島、兵隊島。
- **好み**：葉巻を吸うこと。
- **兵隊島に来た理由**：コンスタンス・カルミントンという夫人から、招待の手紙をもらった。

あらすじ

孤島へ招かれた10人の男女

ある夏のこと、年齢も職業もさまざまな８人の男女のところに「兵隊島」への招待状が届きました。しかし島へ着いてみても招待主の姿は見えず、出迎えた執事夫妻も仲介所をとおして雇われたばかりで、島の持ち主であるオーエン夫妻とは会ったことがないと言います。客人たちがいぶかしく思いながら各々の部屋へ入ると、どの部屋の壁にも、古い童謡「10人の兵隊」の歌詞の書を納めた額がかざってありました。

最初の晩、食後のコーヒーが運ばれてきたとき、突然、「淑女、ならびに紳士のみなさん！」と謎の声が呼びかけてきました。その声は、その場にいる10人がそれぞれ過去に犯した殺人の罪を次々と暴露します。間もなくそれがBGM用のレコードに録音されたものだったことが判明しますが、その後、客のひとりが毒入りの酒を飲んで死亡します。さらに翌日の朝には、執事の妻が死んでいるのが発見されました。残された人びとは、その死に方から部屋にあった童謡を連想し、また広間に10個あった兵隊の人形が８個に減っていることに気づきます。迎えにくるはずの船は来ないし、不安になった彼らは、屋敷のある島の中を探索し、どこかに隠れている人物がいないかを調べ始めます。

オーエン夫妻

兵隊島の持ち主と思われる大金持ち。執事夫妻を含めた10人を兵隊島へ招くが、当の本人は姿を見せない。

ウォーグレイヴ
ウィリアム・ブロア
ヴェラ・クレイソーン
エミリー・ブレント
フィリップ・ロンバード
トマス・ロジャーズ
ジョン・マッカーサー

エセル・ロジャーズ

トマスの妻。

アンソニー・マーストン

長身で青い瞳の美青年。車を飛ばすのが趣味の遊び人。

エドワード・アームストロング

ロンドンの開業医。夫人の病気を診察してほしいというオーエン氏の依頼で島に来た。

作品名：『そして誰もいなくなった』　作者：アガサ・クリスティ　初出：イギリスで1939年に発表　【本作の出典】『そして誰もいなくなった』（青木久恵訳、クリスティー文庫、2010年）

判事はゆっくりうなずいて、言った。

「そう、そのとおりだ。われわれは間違いなく、頭のおかしな人間から招待を受けたようだ──もしかしたら、危険きわまりない殺人鬼かもしれないな」

フィリップ・ロンバード
元陸軍大尉。あるユダヤ人から金をわたされて、兵隊島へ行くようにとの依頼を受ける。

トマス・ロジャーズ
オーエン家の執事。妻のエセルとともに2日前に島に来た。オーエン夫妻には会ったことがない。

ウィリアム・ブロア
元警部。口ひげを蓄えた顔は軍人風。元警部ということをかくしている。

アンソニー・マーストン

ジョン・マッカーサー
元将軍。陸軍殊勲章とナイトの称号をもつ。古い友人も来るという手紙で島に来た。

エドワード・アームストロング

エミリー・ブレント
65歳の老婦人。厳格な軍人の父に厳しく育てられた。招待状のサインがよく読めなかったために、ミス・オリヴァーからの招待だと思いこんでいる。

ヴェラ・クレイソーン
若い女性体育教師。夏休み中に職業紹介所から手紙をもらい、オーエン夫人の秘書のアルバイトをしに島に来た。

ウォーグレイヴ

ウォーグレイヴ元判事の提案により、10人は屋敷の主人であるオーエン夫妻について知っていることを話すことにしました。ところが、それぞれ手紙や電報、あるいは知人を介して誘われており、自分たちを招いた人物をはっきりと知る者はいませんでした。ウォーグレイヴは、招待状を出した人物の頭文字「U.N. オーエン（Owen）」には「Unknown（名無し）」が意図されていると推理します。それを聞いて人びとはことばを失います。こんなおかしなことをたくらむなんて、危険極まりない殺人鬼かもしれない……。そしてその人物は、全員が犯した罪について実によく知っているうえで、告発をしているのです。

クリスティ作品の舞台化・映像化について

アガサ・クリスティの作品には、舞台化や映像化されたものが数多くある。「蜘蛛の巣」（1954年）、「招かれざる客」（1958年）など舞台のため書きおろしたオリジナル作品のほか、小説を戯曲化したものも多い。ロンドンで1952年の初演から60年以上のロングランを続けている舞台劇「The Mousetrap（ねずみとり）」はラジオドラマ用に書いた台本をアガサ本人が舞台用に脚色したもの。また映画では、『そして誰もいなくなった』が1945年にはじめて映画化され、「オリエント急行殺人事件」（1974年）や「ナイル殺人事件」（1978年）は大ヒットとなった。イギリスで制作された「名探偵ポワロ」（1989〜2013年）、「ミス・マープル」（1984〜92年）のテレビシリーズは原作ファンからも支持されている。

第1巻22〜25ページも参照。

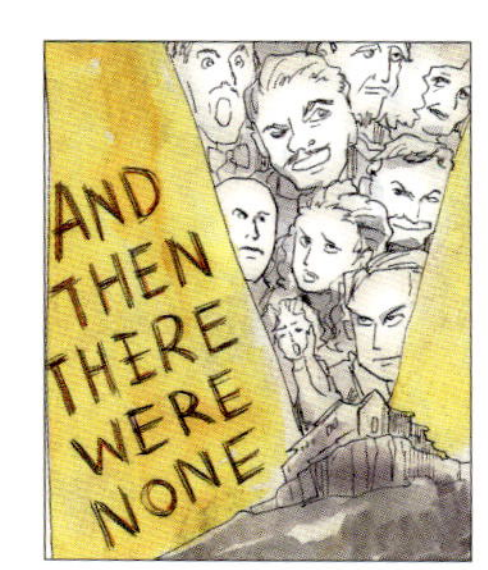
AND THEN THERE WERE NONE
本作は、1945年にルネ・クレール監督がはじめて映画化した

※1　イギリスにある実在の島「バー・アイランド」がモデルとされているが、この島は、物語の設定ほど本土から離れていない。現在ではクリスティファンが訪れる観光地になっている。

『幻の女』

キャロル・リッチマン

Casi

わたしは、キャロル・リッチマン。
スコット・ヘンダースンの恋人です。留守のときにスコットから伝言があったと知り、電話すると、スコットの家には刑事が来ていました。その後奥さんを殺した罪でスコットには死刑が言いわたされますが、スコットの無実を信じ、真相を明らかにしようと行動を起こします。

プロフィール

◆**外見の特徴**：青い眼、そして、くせのない薄茶色の髪はきちんと額に沿ってなでつけてあり、アングロ・サクソンらしい特徴が備わっている。
◆**性格**：頭脳明晰かつ冷静で理論的なしっかり者。スコットのために真実を探ろうと、危険に身をさらすような勇気ある行動をとる。
◆**協力者**：殺人事件の担当刑事のバージェス。
◆**物語の舞台**：ニューヨーク。殺人事件が起きたある年の5月から、スコットが死刑執行される予定の日までの150日間。

あらすじ　アリバイを証明できるのは幻の女

離婚問題が原因で妻と口論したスコット・ヘンダースンは、家を出てひとりで街をさまよっていました。ある酒場で、とても目立つ帽子をかぶった女に声をかけて、ほんとうは妻と行くはずだったレストランで食事をし、カジノ座へショーを見にいきました。女と酒場でもう一度酒を飲んで別れたあと、家に帰ると、妻がスコットのネクタイで首を絞められて死んでいるのを発見します。スコットは、殺人容疑で逮捕されますが、帽子の女にアリバイを証明してもらえるはずだと主張します。しかし、刑事たちが調べても、酒場やカジノ座でスコットと女を目撃したはずの人たちは、誰も帽子の女を見ていないと言います。そして、スコットは無実を晴らせないまま判決の日となり、死刑を宣告されます。残された時間が少ないスコットは、担当刑事のバージェスの助言によって、親友のロンバードに帽子の女を探してくれるように依頼します。さらに、スコットの恋人キャロルも、帽子の女を目撃したはずの人に近づいて探りますが、関係者は次々と不審死を遂げていきます。いよいよ死刑執行の日、スコットは監房の中でガタガタとふるえていました。

マーセラ・ヘンダースン
スコットの妻。スコットと結婚して5年になるが、キャロルの存在を知り、スコットからの離婚話にかんしゃくを起こす。その夜、何者かによって殺害される。

バージェス
マーセラの殺人事件を担当する刑事。スコットを疑っていたが、途中からスコットの潔白を信じるようになる。

ジャック・ロンバード
スコットの親友。ベネズエラの南米石油会社にいたが、スコットからの電報を見て、彼の罪を晴らすために急きょ帰国する。

作品名：『幻の女』　作者：ウィリアム・アイリッシュ　初出：アメリカで1942年に発表　【本作の出典】『幻の女』（稲葉明雄訳、ハヤカワ・ミステリ文庫、1976年）

眼に痛いようなオレンジ色の帽子、それが最後のものだった。

幻の女

スコットのアリバイを証明できるはずの女。まるでかぼちゃのような形に、羽根のついた帽子をかぶっている。スコットと一緒にいるところを誰も見ていないという謎の存在。

スコット・ヘンダースン

32歳の株式ブローカー。キャロルを愛し、妻のマーセラと離婚しようとしていた。マーセラが殺害されたため犯人として疑われ、死刑を宣告される。

スコットは、奇妙な形の帽子をかぶった女とカジノ座でショーを見たあと、もう一度最初に出会った酒場「アンセルモ」で酒を一杯飲んでから別れることにしました。ふたりは乾杯し、スコットはひと息で酒を飲み干しますが、女は少し口をつけただけで、まだ店に残ると言います。握手をして、スコットが店を出ようとすると、女は「もう気分が落ち着いたのだから、家に帰って、彼女と仲直りしたらいかが？」と忠告します。スコットは、女が妻との喧嘩を見透かしていたことにおどろきます。「最初からわかっていたのよ」。女は静かに言い、そして、ふたりは別れました。店の出口で振り返ると彼女のオレンジ色の帽子が夢のように浮かんで見えました。

作者のウィリアム・アイリッシュについて

1903年、ニューヨーク生まれ。本名はコーネル・ジョージ・ホプリー・ウールリッチ。少年時代を革命時のメキシコや、キューバ、バハマ諸島などで過ごす。コロンビア大学に入学しジャーナリズムを学ぶが中退。22歳ではじめて書いた小説が出版されることになり、これを機に職業作家となる。コーネル・ウールリッチやジョージ・ホプリーなどの名義でも作品を発表し、『黒衣の花嫁』（1940年）、『幻の女』などで人気推理作家としての地位を確立した。長編だけでなく、数多くの中短編小説を残しており、『裏窓』（1942年）など映画化された作品も多い。1968年、64歳で死去。多額の遺産の大半は、若い作家志望者のための育英資金として、母校コロンビア大学へ寄付された。

ウィリアム・アイリッシュ

『スイート・ホーム殺人事件』
エイプリル・カーステアズ

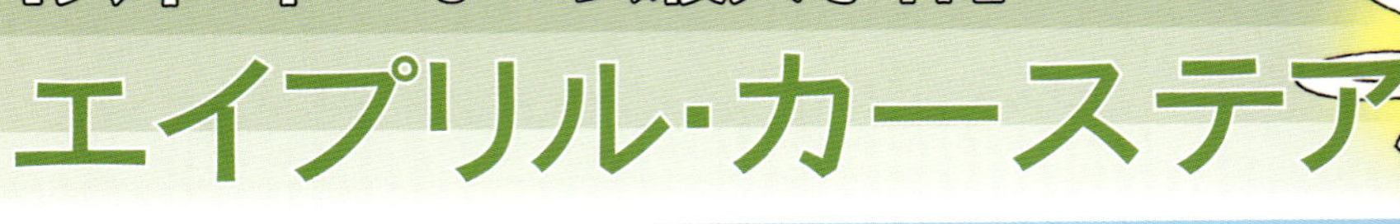

あたしは、エイプリル。
ママはミステリー作家です。もしもママがお隣の家で起きた殺人事件の謎を解いて犯人を見つけたら、ママの本も売れるに違いない、と考えています。

プロフィール

- **年齢**：12歳。1930年、スペイン国王のアルフォンソ13世が亡命した日に生まれた。
- **出生地**：スペインのマドリッド。
- **家族**：母と姉、弟、亀のヘンダーソンと猫のジェンキンズとともに暮らしている。
- **見た目**：150㎝少々と小柄。
- **性格**：秘密を守れるタイプ。
- **特技**：ガールスカウト時代のレッスンで覚えた応急手当。グラビー先生の児童演劇クラスでオールAの成績をとるほどの演技。
- **好きな飲み物**：コーラ。
- **苦手な飲み物**：チョコレート味のミルクセーキ。

あらすじ　警察VS子ども探偵!?

カーステアズ家の3人の子どもたち、エイプリル、姉のダイナ、弟のアーチーがおしゃべりしていたときのことでした。隣に住むサンフォードさんの家から、続けざまに2発の銃声が聞こえてきました。奥さんのフローラが射殺されたのです。第一発見者は売り出し中の若手女優、ポリー・ウォーカー。彼女はフローラにお茶に招かれていましたが、ベルを鳴らしても誰も出てこないので、そのまま中に入ったところフローラが死んでいるのを発見し、警察に電話したのでした。一方、被害者の夫であるウォリーは、オフィスを出たことはわかっていましたが帰宅しておらず、ゆくえ不明のままでした。また銃声は2発だったのに、被害者は1発しか撃たれていないこともわかり、謎は深まるばかり。カーステアズ家の3人きょうだいは、ミステリー作家である母マリアンを有名にするため、この事件を解決しようと調査を開始します。得意の演技力をいかして警察をまどわせたり、事件現場に忍びこんだり、はたまた重要証人をかくまったりと、ときに捜査を混乱させますが、おとな顔負けの鋭い推理と行動力で突き進みます。

フローラ・サンフォード
事件の被害者。人の弱みをにぎり、金銭をおどし取っていたらしい。
オヘア
スミス警部補の部下。9人の子持ち。
ビル・スミス
殺人課の警部補。ホテル住まいの独身者。
ウォリー・サンフォード
フローラの夫。不動産会社のサラリーマンだったが、やり手のフローラと結婚し、今は経営者。
ミセス・カールトン・チェリントン三世
近所に住むチェリントン将軍の妻。
マリアン・カーステアズ
エイプリルたちの母親でミステリー作家。ペンネームはJ・J・レイン。10年前に夫が亡くなり、ひとりで子どもを育てている。元新聞記者で、警察官嫌い。
フランキー・ライリー
三流のギャング。第1の殺人現場にいた。

作品名：『スイート・ホーム殺人事件』　作者：クレイグ・ライス　初出：1944年にアメリカで発表　【本作の出典】『スイート・ホーム殺人事件』（羽田詩津子訳、ハヤカワ・ミステリ文庫、2009年）

ママのために事件を解決しようと奔走するヒロイン

「お母さんがしないなら、あたしたちがするわ」

ダイナ
カーステアズ家の長女。14歳。おっとりしていて妹からは機転のきかないタイプといわれているが、多忙な母にかわり、家事をこなすしっかり者。

ポリー・ウォーカー
すらりとした長身の美人女優。髪の色は赤とゴールドの中間。愛車はグレーのコンバーチブル※1。

アーチー
カーステアズ家のヤンチャな末っ子。10歳。ふたりの姉にこき使われることも多いが、先の展開を読むかしこさと男の子らしい行動力をもっている。

エイプリル

3人は玄関ポーチで、2階から聞こえてくるタイプライターを打つ音を聞いていました。仕事ばかりの母を思ってため息をつき、本物の殺人事件を解決すればいい宣伝になって本が売れるのに、とエイプリルが冗談を言った瞬間、銃声が聞こえました。母親を呼ぼうとしますが、締め切り前なのかなんの音も耳に入らない様子です。ならば、自分たちで捜査をしようと決めて、隣家のポーチのかげに隠れる3人。やがて女優のポリー・ウォーカーが警察へ通報するのを見て、自分たちも手がかりを手に入れようと、大胆にも彼女に近づき、声をかけます。

作者のクレイグ・ライスについて

1908年、アメリカのシカゴに生まれ、幼いころは叔父夫婦に預けられて育った。18歳のときから、新聞記者やラジオの放送作家などさまざまな職業を経験。のちの作家活動の糧となる。1939年、マローン弁護士とジャスタス夫妻の3人組が活躍するシリーズの第1作『時計は三時に止まる』を発表。ユーモア・ミステリーの書き手として1940年代から50年代にかけてアメリカでもっとも人気のある女流作家となり、1946年には雑誌「タイム」の表紙をかざった。また俳優など有名人のゴーストライターも務め、ヒットさせている。しかし、実生活では苦労が多く、結婚と離婚をくり返し、また仕事のストレスからアルコール依存症となり、1957年、49歳の若さで死去した。

クレイグ・ライス

※1 ホロやルーフ部分がとりはずせ、オープンスタイルにもできるスポーツカー。

『七人のおば』

サリー・ボーイン

わたしは、サリー・ボーイン。
ある日、３カ月前まで住んでいたニューヨークから手紙が届き、おばが夫を毒殺したうえに、自殺したことが知らされますが、実はおばにあたる人が７人います。いったいどのおばが殺人を犯したのでしょうか？

プロフィール

- **年齢**：22 歳。
- **出身**：カリフォルニア。
- **生い立ち**：15 歳のとき両親が事故で亡くなり、父の姉であるニューヨークのクララのもとへ引き取られる。
- **家族**：夫のピーター・ボーインとのふたり暮らし。ひとり目の子どもを妊娠している。
- **現在の居住地**：結婚をきっかけに、3 カ月前にニューヨークからイギリスへ移り住む。
- **物語の時代**：1940 年代。

あらすじ　夫殺しの「おば」は誰なのか？

イギリスで幸せな結婚生活を送るサリーのもとへ、ある日、ニューヨークの友人ヘレンから１通の手紙が届きます。そこには、サリーのおばが夫を毒殺し、そのおばが自殺したと書かれていました。しかし、手紙には、肝心のおばの名前が書かれていません。サリーには７人のおばがいますが、彼女たちは、誰もが殺人を犯す素質をもっているとサリーは考えます。そして、自分にも殺人者と同じ血が流れている、結婚したり、子どもをもったりする資格はなかったのではないのかと言って、取り乱してしまいます。夫のピーターはサリーをなだめますが、サリーはベッドに入っても眠れません。そこで、ピーターは、７人のおばについて知っていることを語ってくれれば、誰が殺人を犯したのか見当がつくかもしれないと言います。

サリーは、ニューヨークでおばたちと一緒に過ごした７年間の思い出を話し始めました。その７年間の間に、おばたちは結婚したり、騒ぎを起こしたり、離婚したり、また結婚したり……。ピーターは、サリーの話をじっくりと聞き、犯人を探ろうとします。

マーティン家の家系図

前妻
長女 クララ
フランク・キャズウェル
クララの夫。町の大物。
チャールズ・マーティン
（故）ハリー・マーティン（夫）
（故）アンジェラ・ギボンズ（妻）
サリー
ピーター
次女 テッシー
バート・アンダーウッド
テッシーの夫。サリーが通う高校の体育教師。ハンサムで女子から人気。

三女 アグネス
スティーヴ・ランドルフ
アグネスの２番目の夫。クララの夫の会社に勤める株式仲買人。

四女 イーディス
フィリップ・ウォラン
イーディスの夫。教師。

五女 モリー
トム・ケント
モリーの夫。陸軍航空隊の幹部候補生。

六女 ドリス
マイクル・オディ
ドリスの夫。陸軍航空隊の幹部候補生。

後妻
七女 ジュディ
ジョージ・マクファースン
ジュディの夫。デトロイトで新婚生活を送る。

作品名：『七人のおば』　作者：パット・マガー　初出：アメリカで 1947 年に発表　【本作の出典】『七人のおば』（大村美根子訳、創元推理文庫、1986 年）

「……どう考えても、彼女たちは一人残らず殺人を犯す素質を備えてる。身うちの誰かが人殺しだったなんて、それだけでもたまらないことよ。……」

ドリス
六女。大学生。心理学を学ぶ。テッシーやモリー、ジュディの夫を誘惑する。
モリー
五女。ファッション・デザイナー。デリケートな性格で無口。
クララ
サリーの父ハリーの姉。6人の異母妹たちの母親がわりをつとめ一家を取り仕切る。意志が強い。
テッシー
次女。教師。化粧はあまりしない。30歳をすぎて、同僚の6歳年下のバートと結婚する。
ピーター・ボーイン
サリーの夫。ジャーナリスト。サリーを心から愛している。
サリー
イーディス
四女。娘がひとりいる。シカゴで夫の母親と住み始めてアルコール中毒になった。
アグネス
三女。いじっぱりでかんしゃくもち。
ジュディ
七女。大学生。クララの夫にかわいがられ、なんでもねだって買ってもらうような育ち方をしてきた。

夫を殺し、自殺したおばは誰なのでしょうか？　サリーは、自分にも人殺しの血が流れていると思うといらだちがつのり、それをピーターにぶつけました。そんな彼女にピーターは、おばたちのことを詳しく話してほしいと言います。すべての事実が出そろったなら、夫を毒殺したのはどのおばなのかが、きっと見当がつくはずだと言うのです。そうすれば、そのおば以外の6人は、殺人を犯す可能性がないことを証明でき、サリーも楽な気持ちになるだろうと提案します。そこでサリーは、自分の生い立ち、おばたちのもとで暮らすようになったいきさつ、おばたちとの生活で見たり聞いたりしたことをひとつひとつ思い出し、順に話し始めました。

作者のパット・マガーについて

1917年、アメリカ・ネブラスカ州生まれ。本名パトリシア・マガー。コロンビア・ジャーナリズム学校でジャーナリストとしての教育を受ける。アメリカ道路施設協会の広報や建築雑誌の副編集長などを経て、懸賞応募がきっかけでミステリーに関心をいだき、1946年、『被害者を捜せ！』を発表し、プロの作家としてデビュー。『七人のおば』、『探偵を捜せ！』（1948年）、『目撃者を捜せ！』（1949年）、『四人の女』（1950年）などの初期作品は、犯人ではなく、被害者や探偵、目撃者などを推理させるという画期的な設定で読者に新鮮なおどろきを与えた。以後、本格ミステリーなども執筆するが、1964年に女スパイ、セレナ・ミードを主人公にした作品で再び人気を博した。1985年、67歳で死去。

パット・マガー

『九マイルは遠すぎる』
ニッキイ・ウェルト

ぼくは、ニッキイ・ウェルト。
英文学の教授をしています。事件の現場に出かけたり、捜査をすることなく、椅子に座ったまま、いながらにして遠く離れた場所で起きた事件を推理することから、安楽椅子探偵とも呼ばれています。

プロフィール

- **本名**：ニコラス・ウェルト。
- **年齢**：40代のおわり。
- **現在**：スノードン基金名誉英語・英文学教授。
- **外見の特長**：小さな青い目、シワだらけの顔で、実際より老けて見える。
- **推理のスタイル**：現場を調べたりすることはせず、純粋な論理的考察のみで、答えを導き出す。
- **解決した主な事件**：「わらの男」「エンド・プレイ」「時計を二つ持つ男」などの事件。

あらすじ

一文から導き出される答えとは？

その日、わたしとニッキイ・ウェルトは朝食を食べながら、「推論による誤りの可能性」について議論していました。わたしは先日、郡検事の選挙候補として、前任者の声明を批判する推論的なスピーチをして、失敗したところでした。「あれは完全に筋道立った推論だったんだがね」とわたしが未練がましく主張すると、彼は「推論というものは、理屈に合っていても真実でないことがあるのさ」と言いました。そして、短い文章を作ってくれたら、その文章から思いもかけない論理的な推論を引き出してみせようと言い出します。レジで会計をすませ、外に出たところで、わたしはふと頭に浮かんだ文章を彼に示しました。それは「九マイルもの道を歩くのは容易じゃない、ましてや雨の中となるとなおさらだ」というものでした。ニッキイはまず、この文章の話し手はうんざりしていること、雨が降ることを予想していなかったことなどを指摘します。だんだんと具体的な地名や時間まであげて推論が展開されていき、それがあまりに真にせまっていたので、しだいにわたしは胸騒ぎを感じるようになります。そしてなんと、それは現実に起きた殺人事件につながっていたのです。

車に乗ってワシントンから来た男
ニッキイの推論から導き出される男。九マイル歩いた男にワシントンから連絡をした。

雨の中を九マイル歩いた男
ニッキイの推論によれば、深夜1時ごろから朝の5時まで雨の中を歩いていたことになる。

わたし
ニッキイの友人。もとは大学の法学部教授だったが、数カ月前に退職して、現在は郡検事選の改革党候補。

作品名：『九マイルは遠すぎる』　作者：ハリイ・ケメルマン　初出：アメリカの雑誌「エラリー・クイーンズ・ミステリ・マガジン」に1947年に発表　【本作の出典】『九マイルは遠すぎる』（永井淳、深町眞理子訳、ハヤカワ・ミステリ文庫、1976年）

「では最初の推論だ」問題にとり組むと、彼の声が急に鋭くなった。「まず話し手はうんざりしているね」

わたし
ニッキイ・ウェルト

店のレジで支払いをしながら、ニッキイは「たとえば十語ないし十二語からなるひとつの文章をつくってみたまえ。そうしたら、きみがその文章を考えたときにはまったく思いもかけなかった一連の論理的な推論を引き出してお目にかけよう」と言いました。わたしが思いついたひとつの文章を彼に示すと、彼は推論を立て始めます。「話し手はスポーツマンや外で活動するような人ではない」「歩いたのは夜中か早朝、12時から朝の5時から6時までの間」「話し手は町から外に出たのではなく、外から町へ歩いた」など、ニッキイは歩きながらこれらの根拠を述べて、わたしたちは議論を交わしました。やがてわたしの事務所の前に到着しましたが、どうしても話の続きを聞きたくなって、わたしは、寄っていかないかとニッキイを誘いました。

作者のハリイ・ケメルマンについて

1908年、アメリカのマサチューセッツ州に生まれる。ボストン大学で英文学、ハーバード大学大学院で言語学を学んだのち、教師になる。第2次世界大戦のときにはボストンの労働賃金局の事務員となり、戦後は金物店を経営するが、1960年代に再び教職に戻った。1947年に「エラリー・クイーンズ・ミステリ・マガジン」のコンテストに初の短編『九マイルは遠すぎる』が入賞。その後もニッキイ教授を主人公とした8作の短編を書き、1967年に短編集が刊行された。1964年、初の長編小説『金曜日ラビは寝坊した』を刊行し、同作は、MWA最優秀新人賞を受賞。ユダヤ教の律法学士（ラビ）のデイヴィッド・スモールが活躍する物語で、ユダヤ人社会を描いて高い評価を受けた。1996年に死去。

ハリイ・ケメルマン

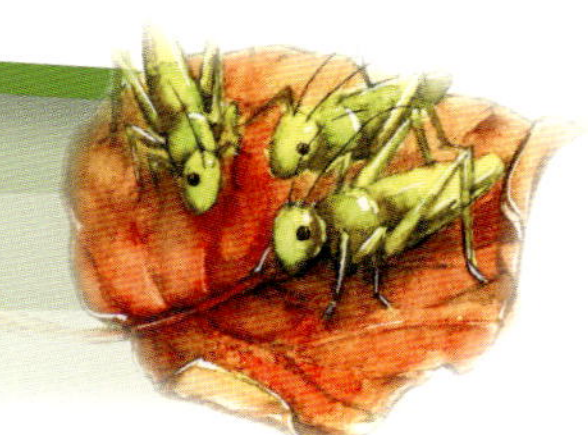

『ジェミニー・クリケット事件』[※1]

ジャイルズ・カーベリー

ぼくは、ジャイルズ・カーベリー。
職業は弁護士です。子どものときに両親が殺され、トマス・ジェミニーという弁護士が後見人となってくれました。成長してからは彼の事務所でパートナーとして働いていましたが、彼も殺されてしまいました。

プロフィール

- **居住地**：事務所から車で 15 分ほどのところに、ルーパートと共同でアパートを借りている。
- **職業**：弁護士。トマス・ジェミニー事務所でパートナーとして働いている。
- **外見**：黒っぽい髪色で、ほっそりとしたからだ。
- **性格**：直情的で、きまじめだが、ジョークや笑いも好む。
- **家族**：独身。ルーパートと同居している。
- **悩み**：いとしいヘレンのことが気になって、思いつめると、決まって、苦痛と吐き気に襲われること。
- **もとの境遇**：狂った男に斧で両親が殺された遺児。トマス・ジェミニーが援助の手を差しのべた。

あらすじ　スリルに満ちた謎解きゲーム

ジャイルズがその老人に出会ったのは、老弁護士のトマス・ジェミニーが殺された事件がきっかけでした。「謎解きゲームをやろう」ともちかけられたジャイルズは、老人に問われるままに、事件について語り始めます。トマス・ジェミニーは善良な弁護士で、不幸な生い立ちの子どもたちの後見人となって援助していました。ジャイルズや同僚のルーパート、ジェミニーの養女となったヘレンもそうした援助を受けたうちのひとりでした。

そのトマス・ジェミニーが自分の事務所で殺されていたのです。ドアには内側からかんぬきがかかり、デスクには火がはなたれていました。窓は割れていたものの、そこから脱出するのは不可能で、いわゆる密室殺人でした。その数時間後、ジェミニーの事件と似た手口で殺された巡査が発見されます。巡査とジェミニーは、警察への通報の電話で、「どこへともなく消えてゆく……、窓が……、長い腕が ……」という同じような奇妙なことばを口走っていました。

老人はあらゆる犯人の可能性をあげ、推理を試みますが、ジャイルズが反論し、ふたりの間で仮説を立てては崩す、というやりとりがくり返されていきます。

ルーパート・チェスター

「ジェミニー・クリケット」のひとり。ジャイルズとともに弁護士としてジェミニーの事務所で働く。温和で明朗な気質。ジャイルズとは恋敵の間柄でもある。

ヘレン

トマス・ジェミニーの養女。乗馬、スキー、射撃など活動的なことが得意。ジャイルズもルーパートも彼女に恋心をいだいている。

トマス・ジェミニー

事件の被害者。70 歳の老弁護士。誰にでも親切で、情け深い。犯罪者や被害者の遺児の後見人となって援助していた。その子どもたちのことを「ジェミニー・クリケット」と呼んだ。

作品名：『ジェミニー・クリケット事件』　作者：クリスチアナ・ブランド　初出：アメリカの雑誌「エラリー・クイーンズ・ミステリ・マガジン」1968 年 8 月　【本作の出典】『招かれざる客たちのビュッフェ』（深町眞理子訳、創元推理文庫、1990 年）

「いいかね、これはみんな、ただのゲームなんだよ。われわれはゲームをしてるだけなんだ。なのにきみときたら、まるで聞きたくもない、ってな顔をしてる」

ジャイルズ
老人

ジャイルズに、ジェミニー事件の謎解きをさせてほしいともちかける。事件についてジャイルズに質問を重ね、真相に近づいていく。謎の人物。

老人は誰にでも犯人の可能性があると指摘しました。ヘレンをはさんで恋敵であったルーパートとジャイルズ、ヘレン当人、またヘレンへの3人目の求婚者、この全員にジェミニー殺しが可能だったという説明をつけられるというのです。まずはルーパート犯人説を想定して仮説を説明し、今度はヘレンの名前をあげ、彼女が殺人を犯す理由と犯行をかくすトリックを説明します。「なぜ彼女がそんなことをする？　なぜわざわざそんな……」。ジャイルズの蒼白な顔を、老人は好奇の目でのぞきこんで言いました。「これはみんな、ただのゲームなんだ」。

作者のクリスチアナ・ブランドについて

クリスチアナ・ブランド

1907年、イギリス領マラヤ（現在のマレー半島南部）に生まれる。幼少期をインドで過ごしたあとイギリスに戻るが、17歳のとき父が破産。生活のためにさまざまな職業につきながら小説を書き始める。初の長編『ハイヒールの死』（1941年）は出版社15社に断られたが16社目でようやく出版され、本格ミステリー作家として人気を集めた。以降、シリーズ探偵となるコックリル警部が登場する『緑は危険』（1944年）、『ジェゼベルの死』（1948年）などの傑作を次々と発表する。また児童文学作家としても活躍し、代表作に『マチルダばあやといたずらきょうだい』（1964年）がある。1972年から73年まで英国推理作家協会（CWA）の会長を務めた。1988年、80歳で死去。

※1　ブランドの作品は、英米両国で発表された短編のテキストにしばしば違いが見られる。その顕著な例が『ジェミニー・クリケット事件』で、英国版と米国版で結末が異なる。

『星を継ぐもの』
ヴィクター・ハント

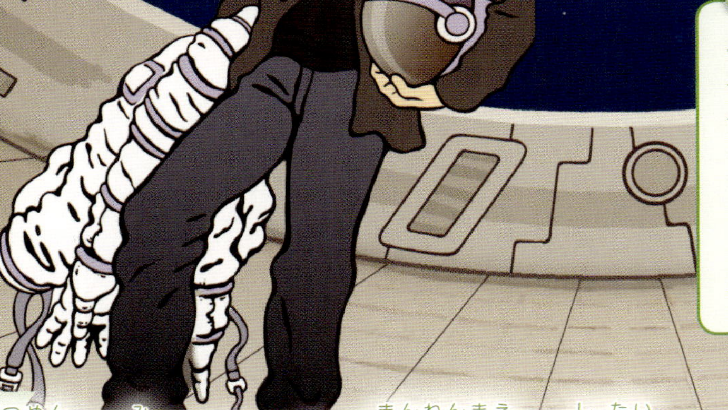

わたしは、ヴィクター・ハント。
原子物理学者で、メタダイン・ニュークリオニック・インストゥルメント社の理論研究主任をしています。研究成果として誇れるトライマグニスコープは、物体を壊すことなく、内部を詳細に調べることができます。

プロフィール

- **年齢**：30代。
- **出身**：イースト・ロンドンのニュークロス地区。
- **経歴**：16歳で奨学生としてケンブリッジ大学に入学。数学、物理学、電子工学を学ぶ。博士号を取ったあと、核物理数学の研究に没頭。政府の熱核融合事業の監督を務めたこともある。その後、いくつかの民間企業を経て、メタダイン社に入社。
- **地位**：理論研究主任。

あらすじ　月面で見つかった5万年前の死体

ある日、ヴィクター・ハントは、会社から国連宇宙軍（UNSA）への出向を命じられます。相棒のロブ・グレイとともに向かうと、そこで見せられたのは、なんと5万年以上前の人間の死体でした。しかもその発見場所は、月面。チャーリーと呼ばれるその死体は、いったいどこからやって来たのでしょう。世界中の学者が参加して、チャーリーの謎を解き明かすプロジェクトが始まり、ハントは、その束ね役に任命されます。生物学者ダンチェッカーは地球人説を強く唱えますが、納得のいかないハントは、違う視点から真相にせまる突破口を探ろうと、ほかの学者たちも巻きこみ、意見をたたかわせます。しかし、なかなか答えは見つかりません。その障害のひとつが、月そのものでした。月の成り立ちや、5万年前の月の状態を突き止めることが、チャーリーの謎の解明に必要だったからです。そんななか、木星の衛星ガニメデの氷の中に巨大な宇宙船が見つかります。しかもそこから、巨人の骸骨も発見されました。チャーリー、月、ガニメデの巨人、次々と立ちふさがる壮大な謎に、ハントはいどみます。

フォーサイス・スコット
メタダイン社の常務取締役。ハントに出向を命じるが、実は彼も詳しい事情は聞かされていない。

ドン・マドスン
言語学者。チャーリーが持っていた手帳などをもとに、彼らの言語の解明を目指す言語班の主任。

クリスチャン・ダンチェッカー
生物学者。チャーリーの生物学的特徴から、理路整然と地球人説を唱える。

JANUARY

リン・ガーランド
コールドウェルの秘書。28歳。茶色の大きな目が知的な美人。

作品名：『星を継ぐもの』　作者：ジェイムズ・パトリック・ホーガン　初出：1977年にアメリカで発表　【本作の出典】『星を継ぐもの』（池央耿訳、創元SF文庫、1980年）

「何者であるかはともかく……チャーリーは五万年以上前に死んでいるのです」

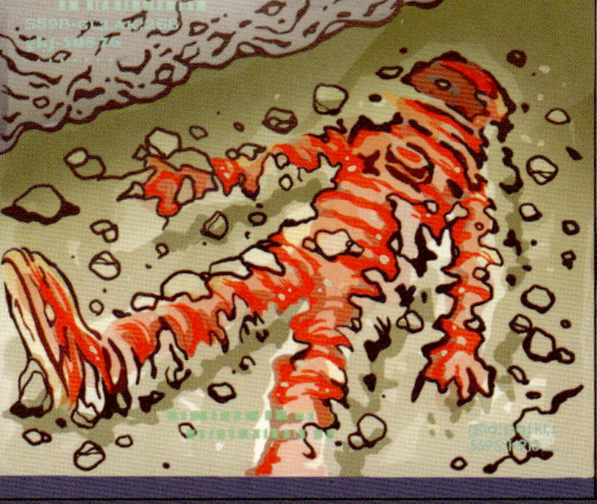

チャーリー
月面で見つかった、真紅の宇宙服に身を包んだ死体。はたして彼の故郷はどこ？

ロブ・グレイ
メタダイン社の実験工学部長。ハントのよき相棒で、同居人。年齢は30代なかば。

グレッグ・コールドウェル
国連宇宙軍本部長。白兵戦にかけては百戦錬磨の古強者。リンによれば、人間観察の天才でもある。

ヴィクター・ハント

コールドウェルがキーボードを操作すると、壁一面のスクリーンに、月面の地図が映し出されました。カーソルを地図上のある地点まで進めると、今度はその付近一帯の写真に変わりました。岩壁には洞窟のような穴があり、その奥から死体が出てきたというのです。次の洞窟内部の写真には、土砂に埋もれた人体の上半身が写り、真紅の宇宙服とヘルメットは原形を保っているように見えます。再びキーボードを操作すると、今度は奇怪な人面が現れました。皮膚は古代の羊皮紙のように黒ずみ干からびていて、めくれ上がったくちびるの間には、人をあざ笑うかのように歯がのぞいていました。そして黒い穴と化した眼は、虚空を見つめていました。

作者のジェイムズ・パトリック・ホーガンについて

1941年、イギリスのロンドンに生まれる。幼少期はよく本を読んで過ごした。工業専門学校で電子工学や機械工学を学び、設計者やエンジニアとしていくつかの企業に勤める。国際電信電話会社で働いていたとき、顧客であるさまざまな科学者から、多くの知識や思考法、科学に対する姿勢などを学んだといわれる。1968年に公開された映画『2001年・宇宙の旅』に刺激を受け、小説を書き始める。1977年、『星を継ぐもの』で作家としてデビュー。以後、本作の続編となる作品や[※1]、『未来の二つの顔』（1979年）、『終局のエニグマ』（1987年）など、多くの作品を残した。最新科学に挑戦する作風で日本での人気も高く、これまでに3作品が、星雲賞（日本のＳＦ分野の文学賞）を受賞している。2010年に死去。

J・P・ホーガン

※1　「巨人たちの星」シリーズとして、本作を含めて『ガニメデの優しい巨人』（1978年）、『巨人たちの星』（1981年）、『内なる宇宙』（1991年）の4作が日本語に翻訳されている。

『お文の魂』
半七

私は、半七。
父と同じ日本橋の木綿店で奉公することを母は望んでいましたが、道楽肌の半七は堅い商売を好きになれず、神田の岡っ引※1、吉五郎の子分になります。1年ほどその手下として働いたあと、「石燈籠」の事件で名をはせます。

プロフィール

- **年齢**：事件当時は42～43歳（今は73歳ぐらい）。
- **職業**：岡っ引。
- **住まい**：当時は神田に住んでいたが、今は赤坂で隠居している。
- **家族**：13歳のとき、父親と死に別れる。神田で常磐津※2の師匠をしている妹がいる。
- **性格**：正直であっさりした性格で、誰にでも親切。
- **推理のスタイル**：人物の容姿や交友関係、最近の様子などを聞き出したり、冷静に現場を観察したりして推理する。
- **解決した主な事件**：「石燈籠」「帯取の池」「奥女中」などの事件。

あらすじ　びしょぬれの女の幽霊の正体は？

「わたし」が子どものころ、Kのおじさんが「わたし」に幽霊話を聞かせてくれました。それはおじさんが20歳ぐらいのときの出来事です。当時この町に住んでいた旗本・小幡伊織の妻お道が、ある日、お春という3歳の娘を連れて兄の松村彦太郎をたずね、「もう小幡と別れたい」と言い出したのです。理由を問いただされたお道は、泣きながらわけを話し始めます。

それは、雛飾りを片づけた夜のことでした。お道の枕もとに髪を乱したびしょぬれの若い女が現れたのです。同時に、お春も夢の中でその姿を見たらしく「ふみが来た。ふみが来た」と叫んだというのです。そうんなことが4日も続いたので夫に訴えますが、まともに取り合ってくれません。そうこうしているうちに、近所に幽霊屋敷のうわさが広まり、Kのおじさんは小幡からこっそり相談を受けます。しかし、解決方法は見つかりません。悩んだKのおじさんは、偶然出会った岡っ引の半七に一部始終を話すと、彼は「2～3日のうちに解決してみせる」と言い、貸本屋や小幡家の菩提寺（先祖代々の墓のある寺）へ足を運び、やがて幽霊の意外な正体を突き止めます。

わたし
叔父が口にした「おふみの一件」に興味をもち、Kのおじさんに話を聞きにいく。

Kのおじさん
「わたし」が小さいころから「おじさん」と呼び親しんできた父親の友人。

叔父
「わたし」の叔父。江戸末期、武士の子として育ち、「妖怪などを信じるべきではない」と、幽霊や化け物の話はいっさい話そうとしなかったが、お文の一件についてだけは、「わからない」と言ったことがあった。ただし、それについてもそれ以上のことは話そうとしなかった。

浄円寺の住職
小幡家の菩提寺の住職。お参りに訪れたお道にでたらめなことを言ってこわがらせた。

作品名：『お文の魂』　作者：岡本綺堂　初出：雑誌「文芸倶楽部」1917年1月号　【本作の出典】『読んで、「半七」！―半七捕物帳傑作選1』（北村薫・宮部みゆき編、ちくま文庫、2009年）

……なんにも知らない幼い娘はやがてすやすやと寝ついたかと思うと、たちまち針で眼球でも突かれたようにけたたましい悲鳴をあげた。そうして「ふみが来た、ふみが来た」と、低い声で唸った。

小幡伊織
小石川西江戸川端に住む旗本で、お道の夫。お道の幽霊問題を笑って取り合わなかったが、松村とともに解決に乗り出す。
松村彦太郎
お道の兄で、番町に住む三百石の旗本。教養があり、とくに蘭学ができたので、外国関係の役所に勤めていた。
お春
小幡伊織とお道の娘。3歳の節句の雛飾りを片づけた日から、ぬれた女の幽霊の夢を見るようになる。
お道
小幡伊織の妻で21歳になる。松村彦太郎の妹。4年前に嫁いできたが、「小幡の屋敷にはいられない」と兄に相談にいく。

小幡は屋敷中の者どもを集めて、この屋敷に幽霊が出るといううわさを聞いたことがあるか問いただします。しかし、みんなはじめてそのような話を聞かされて、ふるえあがるばかりでした。次に小幡は、お道の枕もとに現れる女がぬれていることを手がかりに、屋敷の中にある百坪ほどの古池になにか秘密が沈んでいるかもしれないと考え、大勢の人を集めて探します。また、深い井戸も探しましたが、怨念がこもっていそうな女の持ち物はなにも見つかりません。そこでお道とお春をいつもの部屋に寝かせ、幽霊の正体を明かそうとします。

作者の岡本綺堂について

1872年、東京高輪のイギリス公使館に勤めていた敬之助の長男として生まれる。本名、敬二。小さいころから歌舞伎に親しみ、東京府尋常中学校（現東京都立日比谷高等学校）在学中から劇作家を目指す。卒業後は、東京日日新聞社などの新聞記者を務めるかたわら、小説や戯曲も発表。『維新前後』（1908年）、『修禅寺物語』（1911年）などが好評を博し、新歌舞伎を代表する劇作家となった。1913年以降は作家活動に専念し、長編小説や探偵小説、怪奇小説などの作品も多く執筆した。コナン・ドイル作のシャーロック・ホームズの影響を受けて書かれた『半七捕物帳』69編（1917～37年）は、江戸の風俗や情緒が盛りこまれた推理時代小説で、現在も人気が高い。1939年、66歳で死去。

岡本綺堂

※1　岡っ引とは、江戸時代、町奉行などの警察機構で役人の配下として働いた協力者のこと。
※2　三味線による語り物音楽のひとつである浄瑠璃の一流派。

『アンゴウ』

矢島

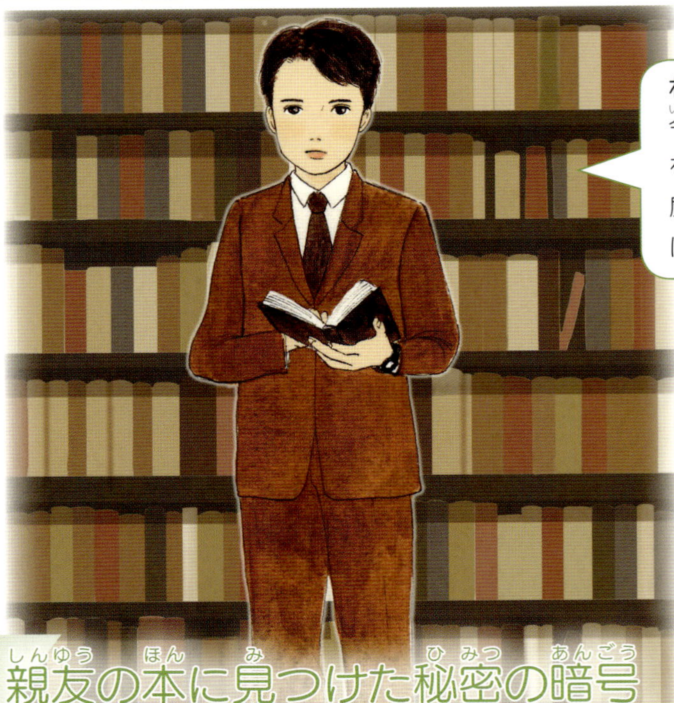

わたしは、矢島です。
今は出版社に勤めていますが、空襲でふたりの子どもを失い、妻はやけどを負って失明しました。ある古本屋で、偶然、戦死した親友の蔵本を見つけます。そこにあった暗号から彼と妻との関係を疑い出します。

プロフィール

- **物語の舞台**：昭和 20 年代前半、終戦後の東京。
- **家族**：目の見えない妻とのふたり暮らし。
- **仕事**：大手出版社の出版部長。
- **出征**：昭和 19 年 3 月 2 日に戦地に赴く。
- **戦災**：戦争で大切な家族、親友を亡くしたほか、家財すべてを焼失し、愛蔵書もみな灰になる。
- **習慣**：社用で神田を訪れるたびに、古本屋をのぞいて歩く。
- **趣味**：日本史、とくに神代の民俗学を研究すること。
- **親友**：神尾。共通の趣味をもち、出征前は、同じ出版社の編集部に勤めていた。

あらすじ　親友の本に見つけた秘密の暗号

出版社に勤務する矢島は、ある日社用で出向いた神田の古本屋で、戦死したかつての同僚で、親友でもあった神尾の蔵書印がある本に出会います。それは日本古代史研究の専門書で、かつて矢島も所蔵していましたが、矢島の出征中に戦火によってほかの愛蔵書とともに焼失。そればかりか、復員してみると空襲でふたりの子どもは消息不明となり、妻のタカ子は生き残ったものの、視力を失っていました。

懐かしさにその本を買い求めると、中には 1 枚のメモがはさまれていました。メモには、数字ばかりが 3 列にならんでいます。「暗号では？」と思いついた矢島が、ページ・行・文字の順に追っていくと、「いつもの処にいます七月五日午後三時」という文が浮かび上がってきたのです。矢島は、恋人から神尾に宛てた手紙だと推理します。そして、メモが矢島の自宅にあった会社用の便箋に書かれていることから、妻のタカ子と神尾の関係を疑い始めます。

矢島は、仙台の神尾夫人のもとをたずね、真実を探ろうとします。さらに、古書の売り主を捜しあて、古本屋にならんだいきさつを明らかにしていくと、昔の蔵書からも複数の暗号文書が現れたのでした。

矢島タカ子
矢島の妻。戦時中に自宅が爆弾の直撃を受け、失明した。
矢島和子
矢島の娘。
矢島秋夫
矢島の息子。戦争で妹の和子とともに消息不明となる。
神尾
矢島の親友。古代史研究という共通の趣味をもつ。矢島よりも 1 年あとに出征し、戦死した。
神尾夫人
神尾の出征と同時に、仙台へ疎開する。

作品名：『アンゴウ』　作者：坂口安吾　初出：雑誌「サロン別冊」1948 年 5 月　【本作の出典】『桜の森の満開の下・白痴　他十二篇』（岩波文庫、2008 年）

火の空をうつしたまま、タカ子の目は永遠にとざされ、もしや、今も尚タカ子の目には火の空だけが焼き写されているのではないかと矢島は思った。

矢島
タカ子

古本屋の店主から、本の売り主を教えてもらった矢島は、その人物をたずねます。本を入手したいきさつを聞くと、東京が焼け野原になった初夏のある日、人通りの少ない路上で本を売っている男がおり、その二十数冊の中から、半数以上を買い求めたということでした。

その晩、矢島はタカ子に空襲があったときのことをたずねました。タカ子は、いったんは防空壕に逃げたものの、食料やフトンなどを少しでも持ち出しておこうと、子どもたちと家に戻ったと話します。しかしそれ以後のことははっきりと覚えておらず、目に焼きついているのはまっ赤に燃える空ばかりで、子どもの姿さえも見えていなかったと悲嘆にくれるのでした。

作者の坂口安吾について

1906年、新潟市に大地主で政治家の家に生まれる。本名は炳五。中学3年のときに東京の豊山中学に編入。小学校の代用教員を務めたあと、東洋大学でインド哲学を、また語学学校にも通いフランス語を学んだ。大学卒業後の1930年、友人らと同人誌「言葉」を創刊。1931年、『風博士』、『黒谷村』などが文壇で認められ、作家となる。戦後、『白痴』（1946年）、『堕落論』※1（1947年）で脚光を浴び、無頼派作家として太宰治らとならび称された。その後も『桜の森の満開の下』（1947年）などの幻想小説、『不連続殺人事件』（1947～48年）、『明治開化安吾捕物帖』（1950～52年）などの推理小説、歴史小説、将棋や囲碁の観戦記、日本各地の歴史探訪ルポなど、幅広いジャンルで執筆し、多彩な活躍を見せた。1955年、48歳で死去。

坂口安吾

※1　『堕落論』は、安吾の代表的な随筆・評論作品。戦後の日本人の本質を問い、敗戦後の人びとの道しるべになったともいわれる。

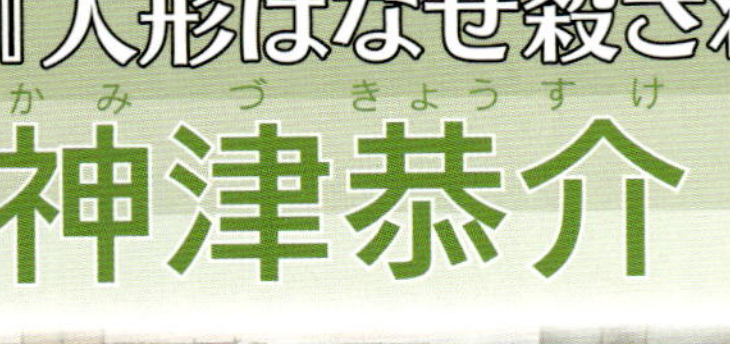

『人形はなぜ殺される』

神津恭介

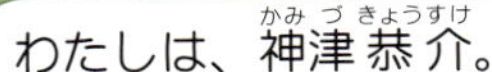

わたしは、神津恭介。
日本犯罪捜査史上、屈指の名探偵などと称されていますが、本業は東京大学の助教授。医学博士と理学博士、ふたつの学位をもっています。推理機械といわれる明晰な頭脳で、理解不能な難事件を解決に導きます。

プロフィール

- **年齢**：35歳。
- **出身大学**：東京大学医学部法医学科。
- **現職**：東京大学法医学教室の助教授。
- **風貌**：長身。ギリシャ彫刻のような美男子。レントゲンのように、相手の胸の底までを見通すかのような眼をもっている。
- **家族**：独身。恋人は音楽だと公言している。
- **趣味**：ピアノの演奏。素人ばなれした腕をもっており、とくに複雑怪奇な問題に直面したときは何時間も弾きつづける。
- **推理のスタイル**：あふれる才智で嘘やトリックを見破る。
- **解決した主な事件**：「刺青殺人事件」「甲冑殺人事件」など。

あらすじ　人形「殺し」による殺人予告

探偵作家の松下研三は「ガラスの塔」という風変わりな喫茶店で聞いた「日本アマチュア魔術協会」の新作魔術発表会に出席します。「マリー・アントアネットの処刑」という、ギロチンで首を斬るという大魔術（手品）に興味をもったのです。しかし当日、小道具の人形の首が消えてしまい、上演は中止に。松下は、この不思議な出来事を友人で名探偵の神津恭介に相談しますが、恭介は、協会の人間関係を調べることを助言します。その数日後、発表会に出演予定だった京野百合子が、魔術と同じように首を切断された死体となって発見されます。凄惨な殺人現場には、本人の首のかわりに、消えた人形の首が転がっていました。犯人を捜そうと意気ごむ松下は、綾小路佳子から魔術協会の会員が静岡の綾小路家の別荘に集まると聞いて駆けつけます。そこでまたも人形が盗まれたのです。これは第二の殺人の予告なのか？　また人形は殺されるのか？　恐怖の念をおさえられない松下は、急いで、神津恭介にこの状況を電報で知らせ、呼び寄せようとします。しかし、事件は恭介の登場を待ってはくれませんでした。

京野百合子
綾小路元子爵と芸者との間に生まれた私生児。大衆金融機関「福徳経済会」に事務員として勤める。日本アマチュア魔術協会会員。

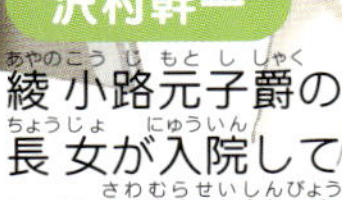

沢村幹一
綾小路元子爵の長女が入院している沢村精神病院の副院長。

綾小路佳子
綾小路家の次女で、京野百合子の腹違いの妹。水谷良平の婚約者。謎めいた手紙を受け取る。

水谷良平
「福徳経済会」の専務。苦労を重ねて成り上がった剛腹な男。日本アマチュア魔術協会会員。

杉浦雅男
詩人。先天的な障害のため、子どもぐらいの背丈しかない。毒舌家で、覚せい剤中毒者。日本アマチュア魔術協会会員。

作品名：『人形はなぜ殺される』　作者：高木彬光　初出：「書下し長篇探偵小説全集7」大日本雄弁会講談社、1955年
【本作の出典】『人形はなぜ殺される』（光文社文庫、2006年）

「……その男が、悪魔が、じわじわと、心理的にあの人をいためつけて、あの人を、そうした被害妄想の虜としたのではありますまいか？」
松下研三
探偵作家。神津恭介の高校時代からの友人。桁違いの天才である恭介には一目置いている。野次馬根性が旺盛。兄の英一郎はもと警視庁の捜査一課長。
神津恭介
中谷譲次
奇怪な雰囲気の喫茶店「ガラスの塔」のマスター。かつては海外で大魔術師フーディニエ※1の再来といわれるほどの奇術師として活躍していた。

京野百合子の殺害事件から、3週間がたち、捜査は暗礁に乗り上げていました。そんなとき、恭介の調査で、百合子の腹違いの姉妹、綾小路元子爵の長女が十数年もの間、精神病院に入院していることがわかります。恭介は、松下研三と病院をたずねることにし、喫茶「ガラスの塔」で待ち合わせをします。そこで、マスターの中谷から綾小路家にまつわる怪談めいた話を聞かされます。明治維新のころ、祖先が無実の青年を死罪にしてしまったため、その怨霊がたたりをなしているのではないかというのです。恭介はそんな話をするマスター自身にも興味を覚え、また同時になにかの暗示を与えようとしているのかと警戒心もいだくのでした。

作者の高木彬光について

1920年、青森市の医師の家に生まれる。本名は誠一。京都帝国大学卒業後、飛行機会社で技師として働いていたが、第2次世界大戦後に失職。困窮するなか、小説家を志し、デビュー作となる、神津恭介探偵を主人公にした『刺青殺人事件』を書き上げた。これを江戸川乱歩に送って推薦を受け、1948年に乱歩の序文つきで刊行され、好評を博す。翌1949年に発表した『能面殺人事件』で第3回探偵作家クラブ長編賞を受賞し、本格推理作家としての地位を確立する。1958年、歴史ミステリー『成吉思汗の秘密』、1960年には社会派の長編作『白昼の死角』を発表。積極的に作風を変化させて、法廷ミステリーなどにも挑戦し、話題を呼んだ。1995年、74歳で死去。

高木彬光

※1　20世紀初頭に活躍した、「脱出王」の異名をもつ、アメリカでもっとも有名な奇術師。フーディーニとも。

#『おーい　でてこーい』[※1]
利権屋

捨てます!
なんでもOK!
深さ5000m!
原子炉のカス
捨てられ☑

わたしは、利権屋。
ある村で、深い穴が見つかったと聞いてやってきました。その穴をもらえたら、埋めてあげよう、村に集会場つきの社も建ててあげましょう、と村長にも言います。

プロフィール

- **職業**：利権屋。
- **事業**：穴が原子炉のカスの捨て先に絶好だと言って、原子力発電会社へ働きかける。その後、穴埋め会社を設立し、都会の不要品を一手に引き受ける事業を展開する。

若者

最初に穴に向かって叫んだあと、石ころを勢いよく投げこんだ。

村長

村人たちの声に押されて、利権屋に穴をあげる。

あらすじ　小さな村にできた不思議な穴

台風が去って、青空になった日。都会からあまり離れていないある村で、がけ崩れがあり、村はずれの昔からある小さな社が流されてしまいました。そこには直径1メートルぐらいの穴があいていて、村人たちは穴をのぞきこみますが、中は暗くてなにも見えず、かなり深いように思われました。若者が穴に向かって「おーい、でてこーい」と叫びましたが、底からはなんの反響もありません。次に、勢いよく石を投げこみましたが、やはり反響はありませんでした。うわさを聞きつけて、新聞記者や学者、野次馬がやって来ます。

新聞

新聞記者

穴のうわさを聞いて取材にやって来た。

学者

穴の調査にきた。高性能の拡声器で、穴の底からの反響を調べるが、なにもわからず、もっともらしい口調で「埋めてしまいなさい」と言う。

作品名：『おーい　でてこーい』　作者：星新一　初出：雑誌「宇宙塵」1958年8月号　【本作の出典】『ボッコちゃん』（新潮文庫、1971年）

「その穴を、わたしにください。埋めてあげます」

若者
利権屋
村長
学者
新聞記者

学者が穴の調査をしますが、どれだけ深いのかもわかりません。埋めてしまおうということになったとき、利権屋が現れて、穴をもらうかわりに、村に新しい社を建てることを提案します。その提案に魅力を感じた村人たちは穴を利権屋にあげてしまいます。利権屋は、なんでも捨てられる穴として、都会に向けて宣伝を始めます。穴はいったいどうなるのでしょうか？

作者の星新一とショートショートについて

1926年、東京生まれ。本名は親一。父親は星製薬の創業者。東京大学農学部から同大大学院へ進み、前期終了後に父の死にあい星製薬を継ぐが、その後経営から離れる。1957年、SF同人誌「宇宙塵」に載った短編『セキストラ』が雑誌「宝石」に転載されて作家としてデビュー。翌年発表の『ボッコちゃん』『おーい でてこーい』も好評で、以来原稿用紙10数枚程度という短さのきわだつ小説を1,000編以上も生み出し「ショートショートの神様」と呼ばれた。その作品は新鮮なアイデアと意外な結末を備えた、知的なスタイルが特徴。1968年、『妄想銀行』（1967年）および過去の業績で日本推理作家協会賞を受賞。『ようこそ地球さん』『きまぐれロボット』など著書多数。1997年、71歳で死去。

星新一

※1　本作が発表された1950年代後半、日本ではまだ本格的な原子力発電は行われていなかった。ゴミ処理問題も、目立った社会問題にはなっておらず、大量消費によるゴミ処理が深刻な問題になったのは1960年代後半からである。

『天狗起し』
センセー

おれは、通称センセー。
江戸は神田橋本町、なめくじ長屋に住む砂絵かきです。マメゾー、テンノー、カッパたち長屋の連中を仕切りながら、謎を解き明かしていきます。下駄新道の常五郎親分が今回も、知恵を借りにやって来ます。

プロフィール

- **住まい**：江戸・神田の橋本町にある貧乏長屋、通称なめくじ長屋。
- **職業**：砂絵かき。筋違御門の八辻が原で、五色の砂で地面にみごとな絵を描いてみせる。
- **素性**：かつては侍だったらしいが、過去も本名も年齢もすべて不明の謎の人物。
- **性格**：博識で論理的。人情にあつい一方で、合理的精神ももち合わせている。
- **推理のスタイル**：なめくじ長屋の住人たちに情報集めなどをさせながら、礼金や口止め料を目当てに、奇天烈な事件の謎を解き明かし、事件を解決する。
- **解決した主な事件**：「よろいの渡し」「本所七不思議」「心中不忍池」「不動坊火焰」などの事件。

あらすじ　入れかわった棺桶の中の死体

中秋の名月の前夜、長崎屋という呉服屋で奇妙な出来事がありました。その夜は、食あたりで死んだ主の幸右衛門の通夜が行われていたのですが、そのさなかに棺桶から幸右衛門の死体が消えたのです。そしてかわりに棺桶に入っていたのは左官屋の留五郎。留五郎は脇差※1で胸を刺され、経かたびら※2を抱きしめるようにして死んでいました。客は30人ばかり。通夜の席は陽気でにぎやかで、故人が安置された部屋との間の襖は閉められており、誰もあやしい者の姿は見なかったといいます。

さっそく現場に呼び出された、下駄新道の岡っ引常五郎。足止めした客たちから話を聞き出します。留五郎が長崎屋の主人になにかわびたがっていたこと、なぜかはやばやと故人を棺におさめる早桶にしたことなど。それらのわけとは？　そして、消えた長崎屋の主人は、言い伝えのとおり、でえも天狗（駄右衛門天狗）に取りつかれてしまったのか……。どうにもわからない奇妙な事件に行きづまった常五郎は、砂絵かきのセンセーに相談をもちかけます。

若旦那（幸太郎）
長崎屋の跡取り息子。
幸兵衛（先代）
先代の幸右衛門。今は隠居して幸兵衛を名乗る。
幸右衛門
神田の呉服屋、長崎屋の当主。45歳。食あたりで急死する。
おるい
留五郎がくどいて結婚の約束をしていた。長崎屋の下働き。
マメゾー
センセーの仲間。大道芸人。
常五郎
下駄新道の岡っ引。通称、下駄常。死んだ房吉親分の後を継いで十手を預かったばかり。
留五郎
殺されて棺桶の中から見つかった左官屋。おっちょこちょいで、おしゃべりで、泣き上戸。根はお人好し。
平吉
長崎屋の若い手代。

作品名：『天狗起し』　作者：都筑道夫　初出：雑誌「推理界」1969年8月　【本作の出典】『ちみどろ砂絵　くらやみ砂絵―なめくじ長屋捕物さわぎ1』光文社時代小説文庫、2010年）

桶の蓋は外れて、へりから白いものが、はみ出ていた。

清之助
長崎屋隣家の小間物屋の若旦那。商売熱心。嘘をつけない性分。
幸二郎
幸右衛門の弟。呉服の仕入れでしばしば長崎へ行き、つい先日帰ってきたばかり。
差配
留五郎が住む長屋を長崎屋から預かっている。大家。
佐吉
留五郎と同じ長屋に住む、若い大工。留五郎と同様、おっちょこちょいでおしゃべり。

「旦那に詫びにゃあならねえことがある」そう言って奥の八畳間へ入った留五郎が出てきません。それに気づいた差配と佐吉が襖を開けますが、ろうそくの火に線香の煙がよどんでいるばかりで、部屋には誰もいません。左手の障子を開けると縁先で、そこにいたのは幸二郎と隣家の若主人。ふたりとも留五郎の姿を見ていませんでした。そのとき、差配の背後で、佐吉が素っ頓狂な声を上げました。尻もちをつき、ふるえる手で棺桶を指さしています。棺桶の蓋がずれていたので直そうと中をのぞいたところ、留五郎が胸を刺されて死んでいたというのです。

作者の都筑道夫について

1929年、東京生まれ。本名、松岡巖。早稲田実業学校中退。10代のころから複数のペンネームで執筆活動を始める。1956年、早川書房に入社。「エラリー・クイーンズ・ミステリ・マガジン」日本語版編集長を務めたほか、「ハヤカワ・ファンタジィ（のちのハヤカワ・SF・シリーズ）」などにたずさわり、日本に多くの海外作家を紹介した。退職後、1961年に長編『やぶにらみの時計』を刊行し注目される。推理小説のほか伝奇小説や怪奇小説など幅広いジャンルの作品を執筆。代表作に長編『七十五羽の烏』（1972年）、シリーズものでは「なめくじ長屋捕物さわぎ」（1968〜99年）、「退職刑事」（1973〜95年）などがある。2001年に『推理作家の出来るまで』で日本推理作家協会賞、2002年には第6回日本ミステリー文学大賞を受賞。2003年に死去。

都筑道夫

※1 小刀のこと。近世では、短刀とともに武士以外でも帯刀を許され、町人などが護身用に腰に差した。
※2 葬式のときに、死者に着せる白い着物。

『サボテンの花』
権藤教頭

わたしは、小学校の教頭をしている権藤です。25年続けた教職生活も残り2カ月。定年退職を前にして、気力が衰えていることを自覚しています。もうすぐ教職生活最後の卒業式。その前日に開かれる卒業研究発表会が気がかりです。

プロフィール

- **あだ名**：ナマハゲ。頭のてっぺんがはげ上がり、前歯に金歯をはめていることから。
- **趣味**：酒を飲むこと。日本酒、焼酎、バーボン、ワインなど、なんでも好き。
- **夢**：この世にひとつしかない酒を飲んでみること。
- **くせ**：頭をなでること。
- **教育方針**：子どもたちがやりたいことをやらせたい。
- **家族**：妻に先立たれていて、独り身。

あらすじ

サボテンたちの反乱[*1]

なにかと騒ぎを起こすクラスとして知られる6年1組で、2学期最後の国語の授業のとき、同音異義語テストが行われました。一般的ではない熟語があったにもかかわらず、ひとりも全問正解できなかったことを担任の宮崎教師から罵倒された1組の26人は、全員で抗議のブーイングを行います。宮崎教師では収拾がつかなくなったため、権藤教頭が子どもたちをなんとかなだめました。

卒業を目前に控え、1組の子どもたちはサボテンの超能力を調べ、卒業研究として発表しようと決めます。ところが宮崎教師は猛反対し、またも子どもたちと対立してしまいます。定年目前で、騒動は避けたい権藤教頭ですが、子どもたちの願いをかなえてやろうと最後の気力をふりしぼります。翌日から、教員をはじめ、父母たちへの説得にあたり始めたのでした。一方、子どもたちは、リーダー格の稲川信一の自宅で、ひそかに研究を進めているようです。そんななか、子どもたちが錯乱して騒いでいるとの通報があり、権藤教頭をハラハラさせますが、なんとか無事に発表会の日を迎えます。子どもたちの真の目的はいったいなんだったのでしょうか？

秋山徹

大学3年生。6年1組が前年の5月に起こした、授業を抜け出して都立植物園を思う存分見学してくるという事件に関わって以来、権藤教頭と親しくなった。子どもたちの兄貴分であり、代弁者であり、教頭との間を取りもつ橋渡し的役割でもある。飲み友達でもある。

宮崎教師

6年1組担任の若い男性教師。自分は正常な教師であるため、異常な行動に出る子どもたちはあつかえないと、サボテンの一件以来登校を拒否している。

作品名：『サボテンの花』 作者：宮部みゆき 初出：雑誌「小説現代」1989年3月号 【本作の出典】『我らが隣人の犯罪』（文春文庫、1993年）

「だって、サボテンには本当に超能力があるんです」

稲川信一

リーダー格の少年。クラスでいちばん成績がよく、同音異義語テストでも、ひとつ書けなかっただけだった。一方で、欠席も多く、その理由を「本を読み終わりたかったから」とか「天気がよかったから」などと明かす気ままな一面ももち合わせている。

権藤教頭

山本直美

将来、「女史」と呼ばれることを夢見ている、しっかり者の女子生徒。

1組の卒業研究発表会のテーマに猛反対している担任の宮崎教師は、権藤教頭の前で両足を踏ん張り勧告しました。「あれをやめさせてください」。つめ寄られた権藤教頭は、漢字テストのときのことを思い出します。また、あの子どもたちをなだめなければならないのかと、気も重く教室へ向かいました。「ナマハゲ」教頭の登場を見守る子どもたちの机の上には、棘のある長い葉の植物がひとつずつのっていました。そこへ、稲川信一が立ち上がり、口を開きます。「教頭先生、僕たちどうしてもやりたいんです」。残りの25人もうなずきます。

作者の宮部みゆきについて

1960年、東京都に生まれる。東京都立墨田川高校卒業後、法律事務所などに勤務ののち、1987年『我らが隣人の犯罪』でオール讀物推理小説新人賞を受賞してデビュー。1999年『理由』で第120回直木賞、2001年『模倣犯』で毎日出版文化賞特別賞、第5回司馬遼太郎賞などを受賞。2007年『名もなき毒』で第41回吉川英治文学賞を受賞するなど、華麗な受賞歴を誇る。ミステリーだけでなく『ブレイブ・ストーリー』などのファンタジー小説、時代小説までを幅広く書き分ける当代きってのストーリーテラー。『ペテロの葬列』『ソロモンの偽証』など、映像化された作品は多数。三池崇史監督の映画「妖怪大戦争」では主人公の担任の先生役で出演した。テレビゲームが趣味。

宮部みゆき

※1　植物園見学騒ぎのあと、稲川信一が権藤教頭に「僕たちみんなサボテンです」と言った。それは「誰にも剪定されないから」。それを聞いた権藤教頭は自分もそうだと自らを勇気づけた。

収録作品・作家関連年表

江戸時代｜明治時代｜大正時代｜昭和時代

1840｜1900｜1920｜1930｜1940

収録作品

1843	黄金虫Ⓐ（ポー）
1902	◆宝ほり→Ⓐ（山縣五十雄訳）
1917	お文の魂（岡本綺堂）
1920	樽（クロフツ）
1929	毒入りチョコレート事件Ⓑ（バークリー）
1932	◆樽（森下雨村訳）
1934	◆毒殺六人賦→Ⓑ（稲木勝彦翻案）
1939	そして誰もいなくなったⒸ（クリスティ）
1939	◆死人島→Ⓒ（清水俊二訳）
1942	幻の女（アイリッシュ）
1944	スイート・ホーム殺人事件（ライス）
1946	名探偵カッレくん（リンドグレーン）
1947	九マイルは遠すぎる（ケメルマン）
1947	七人のおば（マガー）
1948	アンゴウ（坂口安吾）

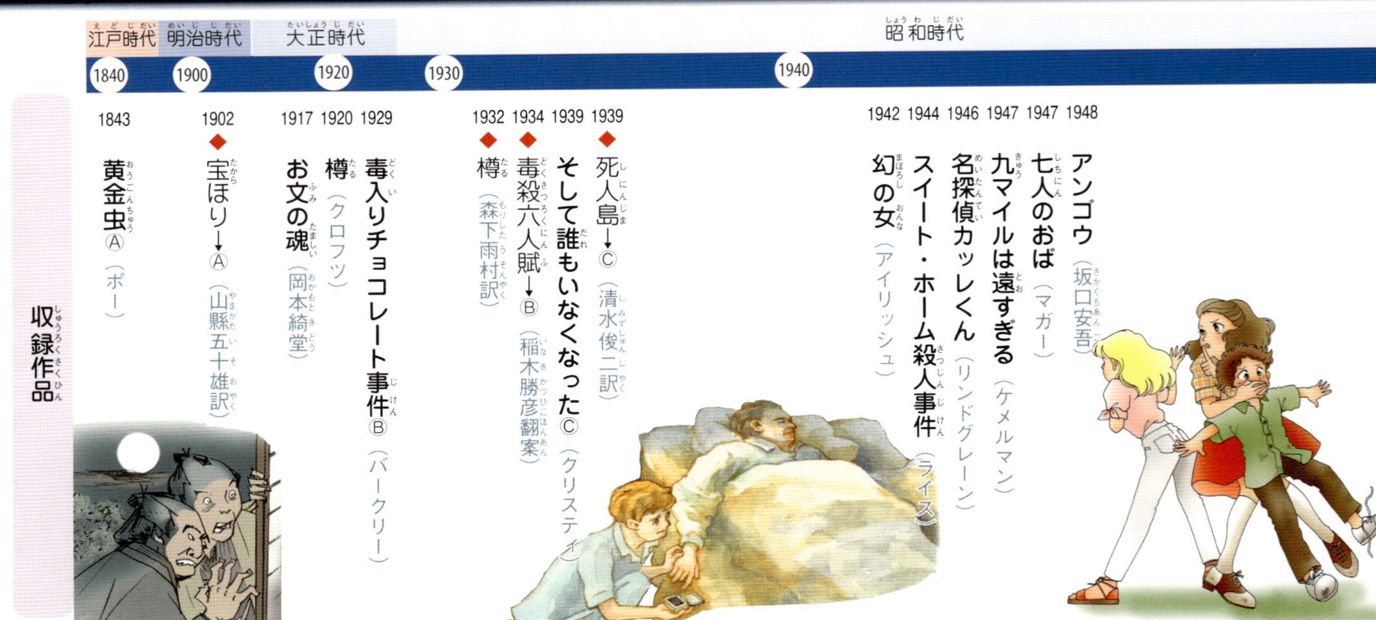

収録作家の主な作品

1917	半七捕物帳（岡本綺堂）
1925	青蛙堂鬼談（岡本綺堂）
1925	レイトン・コートの謎（バークリー）
1925	フレンチ警部最大の事件（クロフツ）
1926	フレンチ警部とチェインの謎（クロフツ）
1931	風博士（坂口安吾）
1931	殺意（バークリー／アイルズ）
1932	レディに捧げる殺人物語（バークリー／アイルズ）
1934	オリエント急行殺人事件（クリスティ）
1934	クロイドン発12時30分（クロフツ）
1937	ナイルに死す（クリスティ）
1940	黒衣の花嫁（アイリッシュ／ウールリッチ）
1940	大はずれ殺人事件（ライス）
1941	ハイヒールの死（ブランド）
1941	大あたり殺人事件（ライス）
1943	素晴らしき犯罪（ライス）
1944	緑は危険（ブランド）
1945	長くつ下のピッピ（リンドグレーン）
1946	被害者を捜せ！（マガー）
1947	暗闇へのワルツ（アイリッシュ）
1947	桜の森の満開の下（坂口安吾）
1947	不連続殺人事件（坂口安吾）
1947	やかまし村のこどもたち（リンドグレーン）
1948	喪服のランデヴー（アイリッシュ／ウールリッチ）

収録作家

ポー	［アメリカ］	1809-1849
岡本綺堂	［日本］	1872-1939
クロフツ	［アイルランド］	1879-1957
クリスティ	［イギリス］	1890-1976
バークリー（アイルズ）	［イギリス］	1893-1971
アイリッシュ（ウールリッチ）	［アメリカ］	1903-1968
坂口安吾	［日本］	1906-1955
ブランド	［イギリス］	1907-1988
リンドグレーン	［スウェーデン］	1907-2002

主な出来事

1896	アテネで第1回近代オリンピックの開催
1894～95	日清戦争
1900	パリ万国博覧会
1904～05	日露戦争
1914～18	第一次世界大戦
1920	国際連盟発足
1923	関東大震災
1929	世界大恐慌
1931	満州事変
1937	日中戦争
1939～45	第二次世界大戦
1941	アメリカで白黒テレビが放送開始
1945	ポツダム会談
1945	国際連合が成立
1946	日本国憲法公布

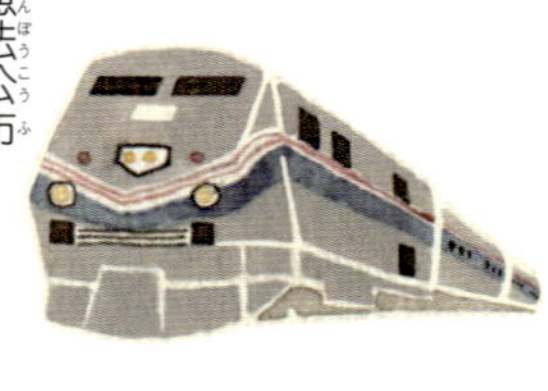

＊太字は本書掲載の作品を、◆は翻訳・翻案をあらわす。
＊発表年が、2年以上にわたる作品は、原則として連載の最初の年を記した。

昭和時代 ／ 平成時代

1950 ／ 1960 ／ 1970 ／ 1980 ／ 1990 ／ 2000

- 1950 ◆幻の女（黒沼健訳）
- 1955 **人形はなぜ殺される**（高木彬光）
- 1957 ◆名探偵カッレくん（尾崎義訳）
- 1957 ◆スイート・ホーム殺人事件（長谷川修二訳）
- 1958 **おーいでてこーい**（星新一）
- 1963 **少年たんていブラウン**（ソボル）
- 1968 **ジェミニー・クリケット事件**（ブランド）
- 1968 ◆ジェミニー・クリケット事件（深町眞理子訳）
- 1969 **天狗起し**（都筑道夫）
- 1971 ◆九マイルは遠すぎる（永井淳訳）
- 1977 **星を継ぐもの**（ホーガン）
- 1977 ◆少年たんていブラウン（花輪莞爾訳）
- 1980 ◆星を継ぐもの（池央耿訳）
- 1986 ◆七人のおば（大村美根子訳）
- 1989 **サボテンの花**（宮部みゆき）

- 1948 ジェゼベルの死（ブランド）
- 1948 探偵を捜せ！（マガー）
- 1948 刺青殺人事件（高木彬光）
- 1949 能面殺人事件（高木彬光）
- 1949 目撃者を捜せ！（マガー）
- 1950 四人の女（マガー）
- 1950 明治開花安吾捕物帖（坂口安吾）
- 1955 はなれわざ（ブランド）
- 1958 ボッコちゃん（星新一）
- 1958 成吉思汗の秘密（高木彬光）
- 1959 2分間ミステリ（ソボル）
- 1959 白昼の死角（高木彬光）
- 1961 ようこそ地球さん（星新一）
- 1964 マチルダばあやといたずらきょうだい（ブランド）
- 1964 金曜日ラビは寝坊した（ケメルマン）
- 1964 三重露出（都筑道夫）
- 1966 きまぐれロボット（星新一）
- 1967 妄想銀行（星新一）
- 1968 なめくじ長屋捕物さわぎ（都筑道夫）
- 1972 七十五羽の烏（都筑道夫）
- 1973 退職刑事（都筑道夫）
- 1981 山賊のむすめローニャ（リンドグレーン）
- 1987 我らが隣人の犯罪（宮部みゆき）
- 1987 終局のエニグマ（ホーガン）
- 1992 火車（宮部みゆき）
- 1995 模倣犯（宮部みゆき）
- 1996 理由（宮部みゆき）
- 2000 推理作家の出来るまで（都筑道夫）
- 2002 ソロモンの偽証（宮部みゆき）

ライス
［アメリカ］1908-1957

ケメルマン
［アメリカ］1908-1996

マガー
［アメリカ］1917-1985

高木彬光
［日本］1920-1995

ソボル
［アメリカ］1924-2012

星新一
［日本］1926-1997

都筑道夫
［日本］1929-2003

ホーガン
［イギリス］1941-2010

宮部みゆき
［日本］1960-

- 1950 朝鮮戦争勃発
- 1953 ソ連邦の政治家、スターリン没
- 1954 アメリカ、ビキニ環礁で水爆実験
- 1957 ヨーロッパ経済共同体EEC設立
- 1959 キューバ革命
- 1963 アメリカのケネディ大統領暗殺
- 1964 東京オリンピック開催
- 1966 中国文化大革命
- 1967 ヨーロッパ共同体ECの発足
- 1968 フランス、五月革命
- 1969 アポロ11号月面着陸
- 1976 中国の政治家、毛沢東没
- 1978 日中平和友好条約調印
- 1986 ソ連邦のチェルノブイリ原発事故
- 1989 昭和天皇没
- 1989 ベルリンの壁崩壊
- 1991 ソ連邦解体
- 1993 欧州連合EU発足
- 1995 阪神・淡路大震災
- 2001 アメリカ同時多発テロ

名作ミステリーに挑戦しよう！　読書案内

③謎と推理にいどむ本

『名探偵カッレくん』 A・リンドグレーン作

①岩波少年文庫（尾崎義訳）

①は小学校高学年からを対象。同文庫からは続編の『カッレくんの冒険』『カッレくんとスパイ団』も刊行されている。

『少年たんていブラウン』 D・ソボル作

①偕成社『少年たんていブラウン１　おたずねもの強盗事件』（花輪完爾訳）

①は小学校中学年からを対象。全９巻のシリーズもの。

『黄金虫』 E・A・ポー作

①ポプラ社「Little Selections―あなたのための小さな物語」４『暗号と名探偵』（赤木かん子編、金原瑞人訳）　②講談社「21世紀版少年少女文学館」13『黒猫・黄金虫』（松村達雄・繁尾久訳）　③偕成社文庫『ポー 怪奇・探偵小説集　2』（谷崎精二訳）

①～③は少年少女向け。①は暗号をテーマにしたアンソロジー。『黄金虫』のほか、ドイル作のシャーロック・ホームズ・シリーズから『踊る人形の謎』、ミステリー評論家の戸川安宣による暗号の解説『暗号とミステリ』も収録。②は全集の１冊で、挿絵や注が充実している。表題作のほか、『おとし穴と振り子』、推理小説の元祖とされる『モルグ街の殺人』や『ぬすまれた手紙』を収録。③は『黄金虫』のほか、『モルグ街の殺人』『ぬすまれた手紙』『おまえが犯人だ』を収録。

『樽』 F・W・クロフツ作

①創元推理文庫（霜島義明訳）

①は一般向けで、2013年刊行の新訳版。ロンドン、パリと捜査の舞台ごとに３部構成になっている。

『毒入りチョコレート事件』 A・バークリー作

①創元推理文庫（高橋泰邦訳）

①は一般向け。同文庫からは、本作ほか、ロジャー・シェリンガム・シリーズとして『第二の銃声』『ジャンピング・ジェニイ』（図書館で読める）が刊行されている。

『そして誰もいなくなった』 A・クリスティ作

①早川書房、クリスティー文庫（青木久恵訳）

①は一般向けだが、同社から刊行の「クリスティー・ジュニア・ミステリ」全12巻にも入っている。

『幻の女』 W・アイリッシュ作

①ハヤカワ・ミステリ文庫（稲葉明雄訳）

①は一般向けで、1976年初版から読みつがれている現在流通している唯一の翻訳本。

『スイート・ホーム殺人事件』 C・ライス作

①ハヤカワ・ミステリ文庫（羽田詩津子訳）

①は一般向けで、2009年刊行の新訳版。現在流通している唯一の翻訳本。ライスのそのほかの作品は図書館で読める。

『七人のおば』 P・マガー作

①創元推理文庫（大村美根子訳）

①は一般向け。現在流通している唯一の翻訳本。同文庫からは本作のほか、マガーの『探偵を探せ！』『被害者を捜せ！』『四人の女』『目撃者を探せ！』も刊行されているが、おもに図書館で読める。

『九マイルは遠すぎる』 H・ケメルマン作

①ハヤカワ・ミステリ文庫（永井淳、深町眞理子訳）　②ポプラ社「Little Selections―あなたのための小さな物語」２『安楽椅子の探偵たち』（赤木かん子編）

①は一般向けで、ニッキイ・ウェルトが登場する８編を収録。②は少年少女向けで、『九マイルは遠すぎる』ほか、ベン・ヘクトの『十五人の殺人者たち』、フィリス・ベントリイの『登場人物を探す作者』、天藤真の『多すぎる証人』を収録。

『ジェミニー・クリケット事件』 C・ブランド作

①創元推理文庫『招かれざる客たちのビュッフェ』（深町眞理子訳）　②角川文庫『北村薫の本格ミステリ・ライブラリー』（北村薫編）

①は一般向けでブランドの短編集。『ジェミニー・クリケット事件』ほか、コックリル警部ものの『婚姻飛翔』など全16編を収録。②も一般向けで、イギリス版とはラストが異なるアメリカ版の『ジェミ

ニー・クリケット事件』のほか、エラリー・クイーンが新人作家に送った手紙や、詩人の西条八十の『花束の秘密』、都筑道夫の『森の石松』など、全13編を収録した異色のアンソロジー。

『星を継ぐもの』 J・P・ホーガン作

①創元SF文庫（池央耿訳） ②小学館「ビッグコミックススペシャル」全4巻（星野之宣著、J・P・ホーガン原作）

①は一般向けで、現在流通している唯一の翻訳本。続編の3作も同文庫から刊行されている。②はSFマンガ家の星野之宣が、ホーガンの原作に新解釈を加えたコミック版。図書館で読める。

『お文の魂』 岡本綺堂作

①ちくま文庫『読んで、「半七」！―半七捕物帳傑作選 1』（北村薫、宮部みゆき編） ②ポプラ社「Little Selections―あなたのための小さな物語」7『花のお江戸のミステリー』（赤木かん子編） ③光文社時代小説文庫『半七捕物帳 1』

①は一般向けで、『お文の魂』ほか、全12編と巻末に編者の解説対談「江戸のシャーロック・ホームズ」を収録。11編収録の続編『もっと、「半七」！―半七捕物帳 2』もある。②は少年少女向けで、『お文の魂』ほか、野村胡堂のエッセイ「『銭形平次』誕生」、石ノ森章太郎のマンガ『佐武と市捕物控』より『送り火』、都筑道夫の「なめくじ長屋捕物さわぎ」より『小梅富士』を収録。③も一般向けで、全6巻の内の1巻。『お文の魂』ほか『半鐘の怪』『山祝いの夜』など全14編を収録。

『アンゴウ』 坂口安吾作

①岩波文庫『桜の森の満開の下・白痴―他十二篇』 ②創元推理文庫『日本探偵小説全集 10 坂口安吾集』 ③光文社文庫『古書ミステリー倶楽部 II』（ミステリー文学資料館編）

①～③はどれも一般向け。①『アンゴウ』ほか坂口安吾の短編小説から純文学・幻想文学の代表的作品全14編を収録。②は『アンゴウ』ほか『不連続殺人事件』、勝海舟が名（迷）推理を披露する『明治開化安吾捕物帖』など全6編を収録。③は古書を題材にした推理小説のアンソロジー。『アンゴウ』ほか、江戸川乱歩の『口絵』、泡坂妻夫の『凶漢消失』など全12編。

『人形はなぜ殺される』 高木彬光作

①光文社文庫

①は一般向けで現在流通している唯一の文庫本。同社からは高木彬光の本が多く出版されている。

『おーい でてこーい』 星新一作

①新潮文庫『ボッコちゃん』 ②講談社青い鳥文庫『おーい でてこーい―ショートショート傑作選』 ③理論社『ねらわれた星』「星新一ショートショートセレクション」（和田誠絵）

①は一般向けで、表題作や『おーい でてこーい』ほか作者自選の50編を収録。②は小学校高学年からが対象で全14編を収録。③も小学校高学年～中学生を対象。全15巻シリーズの1冊で、表題作や『おーい でてこーい』などヤングアダルト向きの全19編を収録。図書館で読める。

『天狗起し』 都筑道夫作

①光文社文庫『ちみどろ砂絵 くらやみ砂絵―なめくじ長屋捕物さわぎ 1』

①は一般向けで「なめくじ長屋捕物さわぎ」シリーズより、『ちみどろ砂絵』から7編、『くらやみ砂絵』から『天狗起し』ほか7編を収録。

『サボテンの花』 宮部みゆき作

①文春文庫『我らが隣人の犯罪』 ②新潮社『我らが隣人の犯罪』

①は一般向けで1993年発行の作者の最初の短編集。表題作ほか『サボテンの花』『この子誰の子』『祝・殺人』『気分は自殺志願』の全5編を収録。②は「宮部みゆきアーリーコレクション」の1冊で、①の新装版。2008年発行。

さくいん

あ

か

さ

た

な

は

ま

※ここでは、本書の中で見出しになっている人名や人物をひろい、本文に出てくるページ数を示しています。
●太字は、大見出しのヒーロー、ヒロイン名、（　）の中は作品名です。

典拠資料一覧

※本書で取り上げた作品の人名や固有名詞などは、下記の書目を参考にしています。冒頭の数字は、本書のページ数を、（　）内は原文の掲載された資料のページを示しています。

6～7ページ＝**『名探偵カッレくん』**岩波少年文庫
A・リンドグレーン作、尾崎義訳、岩波書店、1957年（p.100、2009年新版3刷）
8～9ページ＝**『少年たんていブラウン１　おたずねもの強盗事件』**
D・ソボル作、花輪莞爾訳、偕成社、1973年（p.54、2006年改訂版）
10～11ページ＝**『暗号と名探偵』**「Little Selections あなたのための小さな物語」4
E・A・ポー作、赤木かん子編、金原瑞人訳、ポプラ社、2001年（p.89、2002年2刷）
12～13ページ＝**『樽』**創元推理文庫
F・W・クロフツ作、霜島義明訳、東京創元社、2013年（p.115）
14～15ページ＝**『毒入りチョコレート事件』**創元推理文庫
A・バークリー作、高橋泰邦訳、東京創元社、1971年（p.19、2009年新版）
16～17ページ＝**『そして誰もいなくなった』**クリスティー文庫
A・クリスティー作、青木久惠訳、早川書房、2010年（p.88、2014年12刷）
18～19ページ＝**『幻の女』**ハヤカワ・ミステリ文庫
W・アイリッシュ作、稲葉明雄訳、早川書房、1976年（p.36、2014年47刷）
20～21ページ＝**『スイート・ホーム殺人事件』**ハヤカワ・ミステリ文庫
C・ライス作、羽田詩津子訳、早川書房、2009年（p.16、新訳版）
22～23ページ＝**『七人のおば』**創元推理文庫
P・マガー作、大村美根子訳、東京創元社、1986年（p.16、1994年13版）
24～25ページ＝**『九マイルは遠すぎる』**ハヤカワ・ミステリ文庫
H・ケメルマン作、永井淳・深町眞理子訳、早川書房、1976年（p.21、2014年16刷）
26～27ページ＝**『招かれざる客たちのビュッフェ』**創元推理文庫
C・ブランド作、深町眞理子訳、東京創元社、1990年（p.227、1991年6版）
28～29ページ＝**『星を継ぐもの』**創元SF文庫
J・P・ホーガン作、池央耿訳、東京創元社、1980年（p.48、2012年90版）
30～31ページ＝**『読んで、「半七」！―半七捕物帳傑作選１』**ちくま文庫
岡本綺堂作、北村薫・宮部みゆき編、筑摩書房、2009年（p.20）
32～33ページ＝**『桜の森の満開の下・白痴　他十二篇』**岩波文庫
坂口安吾作、岩波書店、2008年（p.338）
34～35ページ＝**『人形はなぜ殺される』**「高木彬光コレクション／長編推理小説」光文社文庫
高木彬光作、光文社、2006年（p.131、新装版）
36～37ページ＝**『ボッコちゃん』**新潮文庫
星新一作、新潮社、1971年（p.23、2013年105刷）
38～39ページ＝**『ちみどろ砂絵 くらやみ砂絵―なめくじ長屋捕物さわぎ１』**光文社時代小説文庫
都筑道夫作、光文社、2010年（p.326）
40～41ページ＝**『我らが隣人の犯罪』**文春文庫
宮部みゆき作、文藝春秋、1993年（p.117）

【その他の参考資料】

『新 海外ミステリ・ガイド』（論創社）／『海外ミステリー事典』『日本ミステリー事典』『新潮世界文学辞典』『新潮日本文学辞典』（新潮社）／『集英社世界文学大事典』／『世界児童・青少年文学情報大事典』（勉誠出版）／『世界ミステリ作家事典』『幻想文学大事典』（国書刊行会）／『英米児童文学辞典』（研究社）／『日本現代文学大事典』（明治書院）／『新訂作家・小説家人名辞典』（日外アソシエーツ）

◆ 監修者紹介

北村 薫（きたむら　かおる）

1949年、埼玉県生まれ。高校で国語を教えるかたわら、89年、『空飛ぶ馬』でデビュー。91年、『夜の蝉』で日本推理作家協会賞。93年から執筆活動に専念。2009年、『鷺と雪』で直木賞受賞。著書に『スキップ』『月の砂漠をさばさばと』『中野のお父さん』など。

有栖川有栖（ありすがわ　ありす）

1959年、大阪府生まれ。書店勤務を経て、89年、『月光ゲーム』でデビュー。作風から「日本のクイーン」と呼ばれる。2003年、『マレー鉄道の謎』で日本推理作家協会賞、2008年、『女王国の城』で本格ミステリ大賞受賞。著書に『双頭の悪魔』『鍵の掛かった男』など。

NDC 019
監修　北村 薫
　　　有栖川有栖
北村薫と有栖川有栖の
名作ミステリー きっかけ大図鑑
――ヒーロー＆ヒロインと謎を追う！
③みごとに解決！　謎と推理
日本図書センター
2016年　48 P　29.7cm × 21.0cm

◆ 本文イラスト
石川あぐり（34〜35頁）／いずみ朔庵（24〜25頁）／岩田健太朗（12〜13頁）／
内山大助（36〜37頁）／大島加奈子（30〜31頁）／KASHU（10〜11、28〜29頁）／
くまのまりこ（8〜9頁）／さいとうかこみ（6〜7、18〜19頁）／
佐川明日香（16〜17、40〜41頁）／つだなおこ（20〜21頁）／
中野耕一（38〜39頁）／苗村さとみ（14〜15頁）／新倉サチヨ（22〜23頁）／
西野由希恵（26〜27頁）／橋本京子（32〜33頁）

◆ 本文テキスト
有田弘二／井本旬子／小林明子／瀬川景子／山本啓美／若森収子

◆ デザイン
坂本公司＋渡邉薫

◆ 構成・編集・制作
株式会社 見聞社：大村順子／渡辺慶子

◆ 編集協力
北川健之／北川すみ／野々内裕佳子

◆ 企画担当
日本図書センター：福田 惠／村上雄治

北村薫と有栖川有栖の名作ミステリーきっかけ大図鑑――ヒーロー＆ヒロインと謎を追う！
第3巻　みごとに解決！　謎と推理

2016年1月25日　初版第1刷発行

[監　修] 北村 薫
　　　　 有栖川有栖
[発行者] 高野総太
[発行所] 株式会社 日本図書センター　〒112-0012　東京都文京区大塚3-8-2
　　　　 電話　営業部03（3947）9387　出版部03（3945）6448
　　　　 http://www.nihontosho.co.jp
印刷・製本　図書印刷 株式会社

2016 Printed in Japan
乱丁・落丁本はお取り替えいたします。

ISBN978-4-284-70087-0（全3巻セット）
ISBN978-4-284-70090-0（第3巻）

POISON